着信アリ

秋元 康

角川ホラー文庫
13144

16th July

どこかで、水道管が鳴いていた。

老人が咳《せ》き込んで、細い気管をぜーぜーと震わせているような音。

高島里奈《りな》はベッドの中で瞼《まぶた》を閉じたまま、意識だけが覚醒《かくせい》していた。

築20年以上経つこのマンションは、水まわりにガタが来ている。

こんな真夜中に水道管の音がするのは、隣の部屋の住人がバスタブにお湯を張っているからだろう。

夕方になると、派手な洋服に濃いめの化粧をして出掛ける水商売風の女の顔を思い浮かべながら、里奈は腹立たしく思った。

ここの所、アルバイトやら大学のサークルの飲み会やらで忙しく、睡眠不足気味なのだ。

壁の時計は、午前1時を少し回っていた。

里奈はベッドサイドの携帯電話に手を伸ばした。

気づくと、携帯電話を手にしてしまうのは、自分たちの世代の習癖だと思う。

一人暮らしのこの部屋に、電話は引いていない。

里奈と世間を繋《つな》いでいるのは、この小さなツールだけだった。

普段なら、充電中も携帯電話をそのままにしておくのだが、今夜はとにかく、朝までぐっすり眠りたいと思っていたので、マナーモードに切り替えてあった。

カーテンの隙間から漏れる薄明りの中で液晶画面を開くと、『着信アリ』という表示が出ていた。

携帯電話に着信があったことに気がつかなかったらしい。

水道管の音だと思っていたのは、携帯電話のバイブの音だったのだろうか？

(松園さんかもしれない)

里奈の顔は、自然にほころんだ。

松園は里奈が所属するスキューバダイビングのサークル「MARINE　SNOW」の先輩で、心密《ひそ》かに憧《あこが》れていた。

ボタンを操作する手ももどかしく、着信履歴を見ると、——×××－××××－××××とあった。

(何、これ？)

里奈は、思わずそうつぶやいてしまった。

×××―××××―××××は、

――里奈の携帯電話番号だ。

ということは、里奈の携帯電話から里奈の携帯電話に電話をかけたことになる。

もちろん、そんなことをした記憶はないし、それより何より、そんなことが可能なのだろうか？

何かの間違いだ。

携帯広告業者の新しい手口かもしれない。

真夜中の部屋に1人ということもあるのだろうが、とらえどころのない不安が里奈の背中を滑り落ちたような気がした。

つい最近、アルバイト先の店長が工事中のビルの上から落ちて来た鉄板の下敷きになって死んだばかりだったので、余計、気味が悪かった。

身近な人間が死ぬと、魂が浮遊しているようで、恐怖に対して過敏になる。

そんな不安を打ち消すために、141×を押してみた。

音声案内が新しいメッセージが1件あることを教える。

「1番目のメッセージです。

23日　10時47分」

23日？

今日は7月16日だ。

先月の23日のメッセージが残っているわけがないし、ましてや、1週間も先の日時で録音されるわけもない。

少し、間があって電話の向こうから、シュッ！　シュッ！　シュッ！　という変なノイズが聴こえた。

ボンベから、何かを噴射するような音。

水の中で何かを叫んだようなくぐもった声。

ボコボコと空気の泡が排出される音が続いた。

まるで、溺《おぼ》れて、もがき苦しんでいるみたいに……。

里奈が、スキューバダイビングのサークルに入っていることを知っている人間の仕業に違いない。

里奈は、安堵《あんど》の息を洩《も》らした。

やっぱり、いたずらだ。

大学のサークルの誰かが一人暮らしを始めた里奈を怖がらせようと、携帯電話に細工をしたのだろう。

理工学部の何人かの男子学生の顔が思い浮かんだ。

不安の対象が説明できたような気がして、安心した。

（よくやるよ）

里奈はあきれて、携帯電話を床に放り投げたが、思い直してもう一度拾い、改めて電源を切った。

（今度こそ、ゆっくり眠ろう）

窓のカーテンの隙間をしっかりと合わせると、里奈はベッドの中に潜り込んだ。

15th and 16th January

区の職員、山下律子が重度の火傷《やけど》を負って近くの救急指定病院に運び込まれたのは、その半年前、1月15日の深夜のことだった。

律子が住む203号室から出火、世田谷《せたがや》消防署の消防隊が駆けつけた時には、火はアパート全体に広がっていた。

それでも、最年少の野添《のぞえ》消防士が、梁《はり》がまさに崩れ落ちようとする直前に建物の中に飛び込み、部屋の入り口に倒れていた彼女を救出したのだ。

すでに、その時点で彼女の体の一部は炭化していたが、心肺機能は動いていたので、救急車の中でラリンゲアルマスクによる気道確保を行い、現場から10分ほどの高沢病院に搬送された。

同乗した吉村救急救命士は、仕事柄これまでも、重度の火傷を負った患者を見て来たが、その時の彼女の姿が目に焼き付いて離れないのは、皮膚の焼けただれた右手が高温で溶けた携帯電話を握っていたことである。

　誰かと話しているうちに一酸化炭素を吸い込んで気を失ったか、誰かに助けを求めようと携帯を手にした時に炎に包まれたのだろう。

　救急車の中で彼女の右手から携帯電話を取ろうと試みたのだが、皮膚とプラスティックが癒着していて、外すことはできなかった。

　病院に到着すると、待機していた救急医療チームが律子をストレッチャーに乗せ、ICUの熱傷用ベッドに運んだ。

　当直医の柳田の専門は循環器系だったが、医大生の頃に学んだマニュアルに従って応急処置を行なった。

　①　体の洗浄　②　気管内挿管
　③　輸液剤（アルブミン製剤）を点滴
　さらに、心停止するような急激な血圧低下があったので、柳田は昇圧剤（ボスミンを5分おきに1ccずつ）を静脈に注射した。

　柳田が救急で診て来た火傷の中で、最も酷《ひど》い状態だった。

　一般に成人においては熱傷が体表の1／3を占めれば致命的とされていたが、今では、体表の半分以上に熱傷を負っても生存できることも多い。

（年齢、受傷部位、基礎疾患の有無などが重傷度に影響する）

重傷度の判定基準は様々あるが、最も一般的なｂｕｒｎ　ｉｎｄｅｘは、次の式により算出される。

ｂｕｒｕ　ｉｎｄｅｘ＝　Ⅲ度熱傷面積（％）＋０・５×Ⅱ度熱傷面積（％）

面積の計算は、大人の場合、患者の掌《てのひら》が１％、脚１本が18％、腕１本が９％で計算する。

15以上が重傷とされるのだが、彼女は、34だった。

彼女は、すでに、体の大半の皮膚が破壊されていた。

一応の手当ては施したものの、柳田にも、そこにいる看護師たちにも、自分たちが無力であることはわかっていた。

ここまで運ばれて来たこと自体が奇跡だった。

彼女はもうすぐ血管透過性亢進《こうしん》によって引き起こされる２次性ショックで死ぬだろう。

こういう場合、死に行く者と残された家族をある程度納得させるために医師が存在しているに過ぎない。

神は、なぜ、こんなに酷《むご》い運命をお与えになるのかと思う。

柳田は特定の宗教を信じているわけではないが、医師という職業は人の運命を最も間近に感じる立場にある。

彼女がこんな大火傷を負って苦しみながら、ここに運ばれることにどんな意味があると言うのだ？

たとえ、最新の医療技術によって数時間生き存《なが》えたとしても、彼女にとっては苦痛の時間が延びたに過ぎない。

残念ながら、彼女の運命は、すでに業火の中で決まっていたのだ。

「ううう……」

意識を失っていた彼女が、突然、呻《うめ》き声を上げた。

まるで、凄惨《せいさん》なリンチだ。

もし、自分の家族が同じ状態でここに運び込まれたとしたら、柳田は躊躇《ちゅうちょ》することなく、青酸カリウムをその焼けただれた腕の静脈に注射しただろう。

どんな社会的制裁を受けることになろうとも……。

「先生！」

年嵩《としかさ》の看護師が柳田に声を掛けた。

「携帯電話が……」

さっき、焦げた衣類をすべて切り取った時、右手からメスで剥《は》がした血まみれの携帯電話が傍らのワゴンの上で光っていた。

しかも、着信ではなく、発信していた。

何かの拍子にリダイヤルしてしまったか、この部屋の医療電子機器の電磁波が携帯電話に反応したのか？

しかし、彼女の携帯電話は、高温の炎の中で、すでに使用不可能となっていたはずだ。

血に染まった携帯電話が、まるで、意志を持っているかのように勝手に発信している光景は、そこにいる者たちをぞっとさせた。

「その番号を控えておいてくれ」

柳田は、後で警察関係者に報告しようと思った。

看護師がカルテの脇に発信番号をメモしていると、その電話がかかったのを見届けたかのように、心拍が停止したことを報《しら》せるアラームが鳴った。

「心臓マッサージ！」

柳田は医師としての義務感でそう指示したが、心の中では、「もう、楽に死なせてやれ」とつぶやいていた。


律子の兄、山下弘《ひろし》が警察から電話を受け、病院へ駆け付けたのは、翌日の明け方だった。幼い頃に両親を亡くし、弘しか身内がいなかったことと、その弘が深夜まで会社で残業していたことで、連絡が遅くなったらしい。

律子は、弘が到着する数分前に、息を引き取っていた。

包帯でぐるぐる巻きにされている変わり果てた妹の姿を見て、弘は言葉を失った。

業火の中で、妹がどんな苦痛を味わったかが想像できた。

消毒薬の匂いに混ざって、かすかに蛋白質《たんぱく》が燃えたような匂いがした。

「最善を尽くしましたが……」

傍らで、まだ若い医師が沈痛な面持ちで言った。

「規則でこの後、司法解剖に回されます。私たちは部屋の外におりますので、声を掛けてあげて下さい」

医師たちが出て行って、部屋には弘とベッドに横たわる律子の2人だけになった。

不思議と涙がこぼれなかった。

この世から律子がいなくなったことを、まだ、事実として受け入れられなかった。

本当の悲しみは、どこかでいきなりやって来ると、弘は思った。

自分より慎重な律子が、なぜ、火事を起こしたのか？

一緒に暮らしている時も、弘の煙草の吸い殻に何度も水をかけ、しばらく時間をおいてからゴミ箱に捨てていた律子だ。

もし、電話で警察が言っていたように律子の部屋から出火していたとすれば、漏電のようなものが原因だ。

27歳の命を奪ったのは、絶対に不注意なんかじゃない。

不可抗力の何かがあったに違いない。

子供が好きだった律子は、大学を卒業してから臨床心理士の資格を取り、区の児童相談所で働いていた。

早くに両親を交通事故で亡くした生い立ちが、彼女にそういう職業を選ばせたのだろう。

頰を撫《な》でてやりたかったのに、ベッドの律子は顔のほとんどが包帯で覆われていた。

唇を指で触った時、変な感触があった。

弘が顔を近づけ覗《のぞ》き込んでみると、律子の唇の隙間から赤い異物が見えた。

――赤い飴玉《あめだま》だった。

飴玉を舐《な》めている時に、火事にあったのか？

いや、ここに運ばれる間に、気道を確保する管を口から挿入されたはずだ。

もし、口の中に異物があれば、その時点で取り除かれていただろう。

あの若い医師か看護師が入れたのか？

早すぎる死を悼んで、飴玉を舐めさせてくれたと言うのか？

子供ならまだしも、律子は大人だ。

あの実直そうな医師たちが、そんな不謹慎なことをするわけがない。

弘は、律子の口から赤い飴玉を取り出し、ハンカチに包んでズボンのポケットに入れた。

なぜ、そうしたのかは自分でもわからない。

ただ、他の誰かの目に触れさせたくないような気がしたのだ。

それはまるで、律子から自分だけへのメッセージのように思えた。

そして、その時、弘は知った。

自分が泣いていることを……。

涙がこぼれていなかったわけではなかった。

涙がこぼれていることに気づかなかっただけだ。

部屋のドアがノックされる音が聞こえた。

病院のロビーに地味なスーツを来た男が2人、弘を待っていた。

若い方の男が警察手帳を見せながら、

「世田谷署の安藤《あんどう》です」と名乗り、隣の年配の男を「本宮です」と紹介した。

ただでさえ薄暗いロビーの蛍光灯の一本が切れかかって、この場所が決して楽園ではないことを物語っている。

こんな時にやって来る刑事の無神経さに腹が立った。

悔やみの言葉も早々に安藤が口を開いた。

「妹さんの自殺について何か心当たりはありませんか？」

あえて、事務的に聞いたのであろう安藤の質問に、弘の頭の中は一瞬、真っ白になった。

「自殺？」

安藤が気の毒そうに頷《うなず》く。

「ありえない。

妹が自殺するわけがない」

誰もいないロビーに響き渡るくらい声を荒らげて、弘は否定した。

染みが広がった灰色の壁に凭《もた》れながら、本宮がぼそっと言った。

「みんな、そう言うんだよ。

残された者たちはね」
本宮は、これまでも、何度もこういう場面に遭遇して来たのだろう。
うんざりという表情を隠そうともしていない。
安藤が本宮の非礼を取り繕うように説明した。
「妹さんの部屋の数箇所から燃え広がっているんです。
何かが原因で失火したとしたら、同時に数箇所から火の手が上がるわけがありません」
「何者かが律子の部屋に押し入って……」
弘が反論しようとすると、本宮が遮った。
「ドアも窓も内側から鍵《かぎ》がかかっててねえ、
しかも、ドアにはチェーンもしてあった。
つまり、完全な密室だったんだよ」
さらに、追い打ちをかけるように本宮が言った。
「お互い、時間の無駄だ。
はっきり、言おう。
妹さんが部屋のあちこちに使い捨てライターで火を放ったんだ。
ソファーや洋服箪笥《だんす》やカーテンに……。
消防の連中も確認している」
「何かの間違いだ。

妹のことは俺が一番知っている」

冗談じゃない。

律子が自殺？

自殺しなければならないほど、何かに追い込まれていたとすれば、必ず、自分に相談していたはずだ。

2人しかいない身内だ。

いつも、明るかった律子の顔を思い浮かべた時、弘は、去年の暮れの出来事を思い出した。

そう言えば、あの夜、会社で遅くまで新規プロジェクトの会議をしている間、何度も弘の携帯に律子からの着信があった。

留守電には何も残っていなかったから、急ぎの用事ではないと思って、翌日、律子に電話をしてみると、

「もう、大丈夫だから」と言いながら、妙なことを言っていた。

「自分の携帯から自分の携帯に電話をかけられたっけ？」

「何だ、それ？」

「変な電話がかかって来たの」

そんなやりとりだったような気がする。

弘は、記憶の底をさらっていた。

「山下さんねえ、妹さんのことは残念だが、この火事によって怪我をしたり、焼け出された人がいるんだよ。

朝っぱらから叩《たた》き起こされて、俺たちも仕事してんだ。

少しは協力して貰《もら》わないと……」

本宮を無視して、弘は安藤に話し掛けた。

「妹が誰かに脅迫されていた可能性はあります」

「脅迫？」

「携帯電話に変な電話がかかって来て、気味が悪いって」

「どんな電話ですか？」

安藤はメモを取りながら聞いてくれたが、本宮はあくびを噛《か》み殺しながら腕時計を気にしていた。

他殺の可能性はなく単なる自殺として、早いところ、報告書を書きたいのだろう。

「携帯電話に自分の携帯電話から電話がかかって来たと……」

「どういうことです？」

「着信履歴に自分の携帯電話の番号が残っていたんです。

その時は、誰かのいたずらだろうって、私も取り合わなかったんですけど……」

本宮が視線で安藤を促しているのが見えた。

逆効果だったかもしれない。

律子がその頃から精神的に不安定だったと、兄の口から証言してしまったようなものだ。

安藤がメモをしまい、礼を言った。

「参考になりました。

また、司法解剖で何かありましたら、ご連絡します」

本宮も苦虫を噛み潰《つぶ》したような顔で形だけ頭を下げた。

玄関に向かって去って行く2人を引き止めようとして、弘はやめた。

さっき、律子の口の中にあった赤い飴玉のことなど話しても無駄だろう。

そんなことは火事とは関係ないことだ。

警察は、心神喪失による発作的な自殺として処理したいのだ。

弘はズボンのポケットの中に右手を入れ、ハンカチに包まれた飴玉を握りしめながら律子のことを思った。

・23rd July

梅雨明けしたばかりの東伊豆《いず》の富戸《ふと》海岸は、海水浴客たちに加えて、里奈たちのようなダイバーで賑《にぎ》わっていた。

大学のサークル「MARINE SNOW」のメンバーは、2泊3日で一足早い、夏の合宿に来ていた。

「みんな、充分、準備運動をするんだ。梅雨明けしたとはいえ、海の中はまだ、冷たいからな」

ウェットスーツの上半身だけ腰まではだけた松園が、砂浜でスキューバダイビングの装備を点検しながら言った。

おだやかな海だった。

久しぶりの海中散歩が楽しみだった。

里奈は、松園に言われたように、全身をストレッチした。

高校時代、水泳部に籍を置いていた里奈は泳ぐことに関しては自信があったので、今すぐにでも、水の中に入りたかったのだが松園の言葉に素直に従った。

「梅沢と篠田《しのだ》、長島と富岡《とみおか》、石橋と市川……」

松園が、初級者と上級者の組合せで今日のバディを発表して行く。

「……高島と俺だ。とにかく、事故のないように」

12キロのタンクを背負い、足ヒレを手にして、メンバーは砂浜から岩場へ向かった。

「怪しいね？　なんで、里奈と松園先輩なの？」

同じ高校出身の知子《ともこ》が、隣に並んで話し掛けて来た。

「すぐ、そういう見方をする……」

当たり前のことだが、スキューバダイビングの装備で陸を歩くのは疲れる。

体育会系の里奈でさえ息が上がっているのに、高校時代、帰宅部だった知子が、90センチEカップのバストをウェットスーツ越しにユサユサさせながら、みんなに遅れまいとするのは大変だろう。

それでも、知子は松園との関係について言及して来た。

自分の恋愛より他人の恋愛話に目がないタイプだ。

「だって、うちのサークル、メンバー同士の恋愛禁止じゃなかったっけ？」

「そんなんじゃないって」

里奈は、軽くあしらっている振りをしながら、まんざらでもなかった。

松園とバディを組むのは、初めてだった。

1週間前にさりげなく好意を伝えたメールの彼なりの答えが、この組合せかもしれない。


海の中は、別世界だった。

太陽の光が水の分子の間を擦り抜け、水面から明暗のグラデーションを描いている。

美しかった。

ここ数日、雨が降っていなかったので、余計に水が澄んでいた。

20メートル先まで視界が広がっているのに、他のダイバーたちの姿は見えなかった。

みんなとはぐれたのだろうか？

それとも、松園が少し離れた場所に連れ出してくれたのだろうか？

どっちでも、よかった。

里奈と松園のすぐ近くを、イザリウオやイシダイやオトヒメエビが泳いでいた。

初めてのデートとしては、最高のシチュエーションだ。

水中メガネをしている松園から表情を窺《うかが》い知ることはできないが、里奈は勝手にそう思い込んでいた。

今度は、2人だけで来たいと松園にせがんでみよう。

水の中で里奈は頬が緩むのがわかった。

その時、水圧がかかっている耳に変な音が聴こえた。

耳抜きはしたはずなのに……。

キンキンして、よく聴きとれなかったが、やがて、それが、携帯電話の着メロだと気づいた。

まさか……。

陸に置いた携帯電話の着メロがここまで聴こえるわけがない。

里奈が知らない間に、防水型の携帯電話が発売されたのだろうか？

(聴こえる？)

両耳に手を添えて、里奈は松園にジェスチャーで伝えた。

(何?)

松園は、その着メロに気づいていないようだった。

幻聴かもしれない。

水の中では、無意識のうちに緊張するものだ。

シュッ! シュッ! シュッ!

レギュレーターのマウスピースから送り込まれるエアを吸ったり吐いたりする自分の呼吸音さえ、他人のもののような気がする。

里奈は、ふと、思い出した。

いつかの留守電……。

音声案内に続いて聴こえたこの音。

水の中で何か叫んだようなくぐもった声。

ボコボコと空気の泡が排出される音。

まるで、溺《おぼ》れて、もがき苦しんでいるみたいに……。

今日は……23日。

反射的にダイバーズウォッチを見ると、10時46分を指していた。

「1番目のメッセージです。

23日　10時47分」

気味の悪いメッセージが残っていたあのいたずら電話の日時まで、あと、1分。

自分の携帯電話から自分の携帯電話にかかっていたあの着信履歴……。

また、着メロが聴こえた。

それも、すぐ、近くで。

里奈は、言い知れない恐怖を感じた。このまま一気に、海面に浮上したいという誘惑に駆られた。減圧せずに浮上して、血中に溶けた窒素が気泡となって血管を詰まらせてもいいとさえ思った。

（松園さん！）

エマージェンシーのサインを松園に送ろうとした瞬間、何かが里奈の右の足首を掴んだ。

下を見ると、どこからか伸びた細く青白い手が里奈の右の足首を握っていた。

ウェットスーツを着ているのに、里奈のまわりの水温が急に10℃ぐらい下がったような気がした。

誰の手？

——その手の先に持ち主の姿はなかった。

ぎゃあああああ……。

里奈の悲鳴はくぐもった声にしかならず、すぐにいくつもの水泡にかたちを変えて、あたりに飛び散った。

突然、里奈の足首が海底へと引っ張られた。

里奈は完全にパニック状態に陥った。

松園には、里奈がふざけているとしか見えていなかった。

ようやく、ただごとではないと気づいた松園が里奈の腕を取ってくれたが、自分の意志に反してそれ以上の力で振りほどいてしまった。

足首を摑んだ手が里奈を海の底へ底へとひきずり込もうとしていた。

無我夢中でじたばたしている拍子にレギュレーターが外れて、大量の海水が里奈の口と鼻から入り込んで来る。

薄れ行く意識の中で、喉《のど》の奥に何かが詰まるのを感じた。

飴玉《あめだま》を飲み込んだような……。

苦しいと感じたのは、一瞬だった。

ふいに、脳のどこかが切れたような気がして、全身から力が抜けて行く。

死ぬんだ。

まだ、19年しか生きていないのに、こんなに突然、人生の終焉《しゅうえん》を迎えるとは思っていなかった。

つい、さっきまで、未来は水平線の向こうまで続いていたのに。

里奈が、この世で最後に見たものは、海の底の砂から盛り上がって来た女の長い髪だった。

26th July

新宿の歌舞伎町から区役所通りを少し行った雑居ビルの地下1階に、居酒屋「田舎侍」はある。

料金が安い上に料理がおいしいと評判で、平日の夜だというのに学生や若いサラリーマンで賑《にぎ》わっていた。

店の入り口に近いカウンターの左端には、アンテナを立てた客の携帯電話がいくつも並べられている。

地下という場所柄、電波が入りにくいのだろう。

その座敷の一角で、中村由美《ゆみ》が鍋《なべ》を載せたガスコンロに点火しようと何度も試みていた。

カチャ……カチャ……カチャ……。

由美がつまみを回すが、火がつかない。

「誰か、ホース踏んでない？」

茶髪の河合《かわい》健二が鍋の下を覗《のぞ》き込みながら聞いた。

みんな、自分の座布団の下を確認するが、ホースを踏んでいる者はいなかった。

「今時、カートリッジ式の卓上コンロを使ってない所なんかある？」

夜なのにサングラスを外さない三上隆《たかし》が、何もしないくせに口を挟んだ。

由美が、ガスコンロに耳を近づけながら、もう一度、つまみを回すと、シューッとガスが噴き出す音が聴こえた。

ガスはコンロまで来ている。

ということは、さっきから何度もつまみを回しているので、このあたりはガスが溜《た》まっているに違いない。

地下にあるこの店でガス爆発が起きたら？　と思うと、由美は不安でならなかった。

ずっと、「お腹空《す》いたぁ」と、鼻にかかった甘ったるい声を出している小西なつみに言わせれば、「由美は取り越し苦労が多すぎる」ということになるのだろうが、それは、生まれついての性分だから仕方ない。

「すいません」

店員を呼んだのだが、忙しいらしく、誰も来てくれなかった。

「最近の都市ガスって、自殺できないんだよな」

斎藤泰史《やすし》が、そう言いながら無神経に、煙草に火をつけた瞬間、ボッと恐ろしい音がして、由美は思わず、体を仰《の》け反らせた。

健二だった。

由美が店員を呼ぼうとしている間に、健二がつまみを回して火をつけたのだ。

「由美ちゃん、驚きすぎ！」

泰史の言葉に、みんなが笑った。

この季節に石狩《いしかり》鍋を囲んで、男が3人に女が2人。

もちろん、女は、もう1人、後からやって来る。

「合コンには、やっぱり、鍋だ」

健二が、そう、主張した。

同じ鍋をそれぞれの箸《はし》でつつき合うから、一体感が生まれ、わかり合えるのだそうだ。

紹介された者同士が携帯の電話番号を教え合うだけの短時間の儀式で、何がわかり合えるのだろう。

人為的な出会いの場。

由美は、合コンが苦手だった。

小学校からの幼なじみの小西なつみに「予定していた子にドタキャンくらって、どうしても1人、人数が足りないから」と強引に誘われて、仕方なくここにいる。

なつみに、何か頼まれると、嫌だと言えなかった。

彼女の行動の危なっかしさが由美に〈なんとかしてあげなくちゃ〉と思わせるのだ。

そのせいで、なつみには、どれだけ迷惑を被ったかわからない。

いや、それは、なつみのせいではなく、由美に問題がある。

強すぎる母性本能。

自分の生い立ちに起因しているのだと、由美は暗に認めていた。

自由奔放ななつみと閉鎖的な由美。

偶然、同じ大学に入ってからも、2人の関係は変わらなかった。


「で、なんで、由美ちゃんは覗き穴恐怖症なの？」

健二が、鍋に冷凍の鮭《さけ》の切り身を入れながら、話を戻した。

「そんなんじゃないって。

なつみがオーバーに言ってるだけ」

「だって、小学校の理科の時間、
顕微鏡が覗けなくて泣いたんだよ、この娘《こ》」

「嘘よ」

由美がなつみを睨《にら》んだ。

「そういうのって、話には聞くけど、本当にいるんだ」

泰史が珍しいものでも見るかのように、由美の顔を覗き込んだ。

「トラウマがあるわけ？

何かを覗いて、恐いものを見ちゃったとか……」

隆が、ビールを飲む手を止めて、真剣に聞く。

「ないない。

なつみの合コン用のネタ」

わざと明るく振る舞いながら、由美は菜箸でねぎを鍋に入れた。

さっきから、健二が手掴《てづか》みで具を入れているのが気になっていたのだ。

「人間の記憶の中で一番忘れられないのが、恐怖なんだって。

俺、昔、友達から、夜中、風呂《ふろ》場で髪を洗っている時に、
絶対、鏡を見るなって言われたんだ。

死んだお婆ちゃんが孫可愛さに、一緒に髪の毛を洗ってくれてんだって。

こうやって、手を伸ばしながら……」

健二は、明らかに作り話でなつみと由美を怖がらせようとしていた。

その時、由美の背後から耳を掠《かす》めながら、すぅ〜っと黒い腕が伸びた。

「きゃっ」

由美が思わず悲鳴を上げて振り返ると、喪服姿の岡崎陽子が立っていた。

「陽子……」

「何だよ、その格好？」

健二が笑いながらそう聞くと、陽子は由美の前にあった天ぷらの皿から塩を摘《つま》み、喪服にふりかけて答えた。

「高校の時の後輩が死んじゃって……」

居酒屋のトイレは男女兼用なので、由美は陽子につきあってやって来た。

「今日、お通夜だったんだ」

個室の中から、陽子の声がした。

「だったら、無理することなかったのに。

もう、こんな時間だし……」

洗面台の鏡の前で目薬を差しながら、由美が言った。

「健二を野放しにすると、私の親友にまで手を出しかねないからね」

今日の合コンは、なつみにせがまれて陽子がセッティングしたのだろう。

由美に特定の彼氏はいなかったが、合コンまでして欲しいとは思わなかった。

第一、合コンで誘って来る男は、別の合コンでも誰かを誘っているのだと、由美は勝手に思い込んでいた。

健二に関してのコメントを避けていると、個室の陽子が話題を変えた。

「でも、可哀相だった。

1個下だもん」

「何で亡くなったの？」

「スキューバダイビングで溺《おぼ》れたんだって。

サークルの先輩が一緒に潜っていたんだけど、
何かアクシデントがあったらしくて、

途中でパニクっちゃって大変だったらしいよ」

突然、黒い影が天井から降って来た。

由美は一瞬、ぎくっとしたが、陽子が、脱いだ喪服を個室のドアの上に掛けただけだった。

「酸欠って苦しいんだってね。

みんなでその娘《こ》を引き上げた時、すんごい顔してたってさ」

由美は、海の中で溺れている自分を想像した。

水のラップに口と鼻を塞《ふさ》がれたように、必死にもがいている自分。

泳げない由美にとっては、想像を絶する恐怖だ。

一度、友達から「スキューバダイビングは、エアタンクをつけているから、泳げない人でも大丈夫」と誘われたことがあったが、本当にやらなくてよかったと思った。

なぜか、急にこのトイレの狭い空間が息苦しくなって、由美は深呼吸をひとつした。

陽子のバッグの中で携帯の着メロが鳴った。

「陽子……電話」

「えっ？

私、こんな着メロ、入れてないよ」

個室の中から、不思議そうな陽子の声がした。

「だって、陽子のバッグで鳴ってる」

「悪い、ちょっと、見てくれない？」

ブランド好きの陽子のバッグの中を引っ掻《か》き廻していると、ふいに着メロが切れた。

〝頰を寄せ合った陽子と健二が笑いながらピースサインをしているプリクラ〟が貼ってある携帯には、案の定、『着信アリ』の表示があった。

「やっぱり、陽子の携帯……」

「誰から？」

着信履歴を見ながら、

「名前は入ってない。

電話番号だけ」と由美が答えた。

個室のドアが開き、辛子色のワンピースに着替えた陽子が出て来た。

「私の記憶から削除した昔の男だったりして……」

陽子はちょっと期待しながら携帯を受け取ると、液晶画面に表示された電話番号を確認した。

「何、これ……？

私の携帯電話番号なんだけど……」

鍋《なべ》の中では、雑炊がぐつぐつと煮えていた。

さっきまで、あんなに雑炊の作り方をめぐって言い合っていたのに、みんなの興味の対象は陽子の携帯に移っていた。

そこにいるメンバーを陽子の携帯が一周しているうちに、健二が言った。

「自分の携帯に自分の携帯から電話がかかって来るか？」

「機械オタクが細工した新手のイタ電だろ？」

隆が当たり前のように答えた。

「留守電、聞いてみたら？」

なつみが無責任にそんなことを言うので、

「そんなの聞く必要がないよ！」と、つい、強い口調で由美は言ってしまった。

「っていうか、どうせいたずらなんだったら、
不愉快な気持ちになるだけでしょ？」

場が白けないように、由美が弁解した。

本能的な何かが、それを拒否していた。

恐がりだと自分でも思う。

でも、あえて、得体の知れないものに近づくことはない。

「はぁ、はぁなんて、変な息遣いが入ってんじゃないの？」

泰史が自分の分だけ、雑炊を茶碗《ちゃわん》に盛りながら茶化した。

「面白そうじゃん。

陽子、聞いてみろよ」

「そうだよ。何か、わかるかもしれないし……」

健二の言葉に、なつみが同調した。

陽子は、あまり、乗り気ではなかったが、

「ワンギリ系だと思うけど……」と、141×を押して、携帯電話をみんなの方に向けた。

陽子の携帯にみんなの耳が集まる。

受話口から音声案内が聞こえて来た。

「1番目のメッセージです。

28日　23時04分」

「28日って、明後日《あさって》じゃん」

健二が口を挟んだ。

全員が固唾《かたず》を飲んで待っていると、カンカンカンカンカン……という、踏切の警報機の音が流れて来た。

どこか、踏切の近くで吹き込まれたのだろう。

それから、しばらくして、

「えっ、聞こえない」という若い女性の声が流れてから、ぎゃあ〜っという悲鳴とすさまじい音量の電車の通過音に変わった。

「意味わかんない」

陽子が、わざと、素《す》っ頓狂《とんきょう》な声を上げた。

「今の陽子の声だよね？」

なつみが言った。

この娘《こ》には、デリカシーというものがないのだろうか？

おそらく、みんな、そう思ったけど、口に出すのが憚《はばか》られるような空気が流れていたのに……。

何か、縁起でもないというような……。

「やめてよ」

陽子がヒステリックに言った。

きっと、陽子もそう感じていたのだろう。

「よく聴き取れなかったじゃない？」

由美は、そう、とぼけた。

「電話の声って、わからないからな」

面白がっていた健二も、さすがに、陽子が可哀相と思ったのか、曖昧《あいまい》な言い方をした。

「コンピューターに詳しい人間なら、着信履歴やメッセージの日時をいじったり、陽子に似た声を入れることくらい簡単なことかもしれないしな……」

泰史がサングラスを外しながら言った。

「警察に行く？」

由美がそう聞くと、陽子は首を横に振りながら、

「今度、かかって来たら……」と沈んだ声で答えた。

「そんなことより、雑炊、食べようよ」

なつみが話題を変えた時、
鍋の雑炊は、すでに、水分が飛んで、焦げ始めていた。

27th July

東京医科歯科大学の解剖室から、司法解剖された遺体が運び出されようとしていた。

司法解剖とは、東京都監察医務院に所属する監察医によって検死された死体の中で（東京23区内で発見された死体の場合）、死因に犯罪が関係していると判断された死体を、東京大学、慶応義塾大学、東京医科歯科大学のいずれかに搬送し、検察官の指揮、警察官の立会いの下、法医学行政訴訟法に基づいて、「犯罪捜査」を目的に法医学の専門家によって行なわれる死体解剖のことである。

司法解剖には、遺族の許可が必要とされておらず、裁判所が発行する鑑定処分許可書があれば、強制的に行なわれる。

「昔は、死人に口なしなんて言ったもんだが、最近じゃ、死人がいろいろ、語ってくれるそうだ」

陰気な空気が漂う廊下で、本宮がハンバーガーを食べながら、ビニール製の死体袋を乗せたストレッチャーを足で通せんぼをした。

「で、あったのかい、葬儀屋さん？」

妹が火事で死んでから、何度も顔を合わせているのに、本宮は弘を名前で呼ぼうとはしなかった。

それが、弘の転職後の職業だったから間違いではないのだが、何かしら、揶揄《やゆ》しているような響きがあった。

あの事件以来、弘が独自の捜査をしていることが気にくわないのだろう。

12年勤めた建築会社を辞め、葬儀屋で働き始めたことも奇異に思っているに違いない。

「俺も、長い間、刑事やってるけど、聞いたことないぜ。仏さんの口から、飴玉《あめだま》が湧き出たなんて話」

弘が死んだ妹の口に飴玉があったことを本宮に話したわけではなかった。

いろいろな所で聞き廻《まわ》っているうちに、本宮の耳にも入ったのだろう。

「飴玉見逃したとあっちゃ、何人もの関係者の首が飛ぶぜ」

「そうですね」

この男とは、もう、関わりたくなかった。

弘が、何度も足を運んだのに、妹の死を身勝手な自殺と決め付けて処理した奴だ。

そんな弘の敵意を感じたのか、

「世の中のすべてのことには、からくりがあるってことさ。

説明できない事件はないってことだ」

と、釘《くぎ》を刺すように言ってから、本宮はハンバーガーを頬張った。

トマトケチャップがリノリウムの床に落ちたが、本宮は気にしなかった。

何も言わず、弘がストレッチャーを押してその場を離れると、本宮が背後で吐き捨てるようにつぶやいた。

「俺は、オカルト話が一番嫌いなんだ」

28th July

大学は、すでに夏休みに入っていたが、１０１教室では単位の取れなかった者やより深く学びたい者のために、集中講義が行なわれていた。

「このように、虐待されている児童は、自分より弱い者に攻撃行動を示す傾向が強く……」

抑揚のない口調で、テレビにも時々出ている有名な教授が淡々と講義している。

黒板には、〝被虐待児の情緒と行動〟とある。

この教室の中で、何人の学生が聞いているのだろう。

いや、この大学で、何人の学生が真剣に学びに来ているのだろう。

由美は、時々、自分とまわりの人間の大学に対する意識の差に愕然《がくぜん》とすることがある。

自分が取り立てて、堅い人間だとも、ガリ勉だとも思わない。

奨学金を貰《もら》って大学へ行きたいと思ったのは、児童心理学を学びたいと思ったからだ。

だから、由美には教授の話が面白く感じるのかもしれないが、なつみは、隣でずっと、携帯電話のメールを打っているし、陽子は少し離れた場所で机に顔を伏せたまま眠っている。

まあ、人のことはどうでもいい。

由美はなつみや陽子にあきれながらも、また、児童心理学の世界に入って行った。

「あれ、絶対に陽子の声だったよね？」

メールに飽きたのか、メールを打つ人間が尽きたのか、なつみが小声で話しかけて来た。

「陽子の携帯に入ってた留守電……」

由美が答えないでいると、なつみが一方的に話し始めた。

「『気味悪いし、陽子に悪いから、あの場でははっきり言わなかったけど、絶対に陽子の声だ』って、健二くんが言ってた」

健二となつみも、この間の飲み会で初めて会ったはずだ。

陽子は健二のことをなつみには、ずっと、紹介したくないって言ってたから。

いつの間に、電話番号を交換したのだろう。

「なつみ、連絡取ってるの？」

「まあね……」

意味あり気に、なつみがにやっとした。

由美がそのことを追及しようとした時、終了のブザーが鳴った。

すぐに、陽子がやって来た。

「知り合いのレストランがオープンするんだけど行かない？」

なつみは、今の話などおくびにも出さずに、陽子に言った。

「私、今日、バイトだから……」

「お茶だけでも飲まない？」

由美が誘っても、

「ごめん、夜、電話する」と言いながら、陽子は行ってしまった。

「健二くんとのこと、陽子、知ってるの？」

「まだ、言ってないんじゃないかな？　健二くん……」

悪びれもせずに、なつみが答えた。

こういう恋のいざこざが由美は不得手だった。

どうすればいいのか、わからない。

「由美は、行けるでしょ？」

屈託なく、自分の好きなように生きられるなつみが、由美はほんの少しだけ羨《うらや》ましいと思った。


目の前に閉められた障子戸があった。

まわりの情景は何も見えないのに、なぜか、障子戸だけがそこにある。

外は黄昏《たそがれ》なのか、脇から漏れる陽射しに白い障子紙がセピア色に染まっている。

2段目の升《ます》の片隅に、小さな穴が空いていた。

子供が人差し指を舐《な》めて、空けたのかもしれない。

ずいぶん、長い時間、この穴を眺めているような気がする。

きっと、この障子戸の向こうを覗《のぞ》いてみたいという欲求に駆られているのだろう。

それでも、まだ、そうしていないのは、勇気がないからだ。

勇気？

何に対する？

遠くから、誰かの「覗いてごらん」という声が聞こえた。

言葉ばかりか、誰かが、そっと、背中を押した。

好奇心の誘惑に負けて、わずか2センチほどの破かれた穴に顔を近づける。

あともう少しという所で、急に中を覗くのが恐ろしくなった。

この向こう側には、何か見てはいけないようなものが待ち受けているに違いない。

やっぱり、見るのをあきらめようとすると、それまで、やさしかった誰かの手が私の頭を荒々しく摑《つか》み、強い力で障子戸の穴に押しつけた。

私は、思わず、目をつむった。

意外なことに何も見えないことの方が、余計に恐ろしかった。

瞼《まぶた》越しに、ひりひりするような恐怖を覚えた。

目を開けた方がましだと思った。

いたたまれずに、かっと、目を開いて、その穴を覗き込むと、

――同じような目がこちらを覗いていた。

声も上げられず、目を逸《そ》らすことも、目をつむることもできなかった。

障子戸の穴越しに、お互いに動けず見合ったままの目。

そのうちに、障子戸の穴の目が涙を流した。

それが、鏡であるかのように、私の右目からも涙がこぼれているのがわかった。

ふいに、どこかで、蟬の鳴き声が聞こえた。

その蟬の鳴き声が、どんどん、近づいて来る。

机の上の携帯電話が、ぶぶぶぶぶぶぶ……と這《は》いずっていた。

部屋で今日の授業のノートを整理しているうちに、眠ってしまったらしい。

嫌な夢を見た。

脇の下に汗をかいている。

由美はバイブレーター機能が作動している携帯に手を伸ばした。

いきなり、声がした。

「ねえ、なつみから何か聞いた？」

陽子からの電話だった。

「何かって？」

本当は陽子が言わんとしていることはわかっていたが、わざと聞き返した。

「健二がなつみにちょっかい出しているらしいの……」

「だって、この間、知り合ったばかりじゃない？」

「ここんところ、健二の様子が変で、
問い詰めたら……」

シュッ！　シュッ！　シュッ！

機械的なノイズが入って、一瞬、電話が混線した。

「……らしいのね」

人混みの中にいるらしく、よく聴き取れない。

「それが、なつみもなつみなのよ……」

陽子が、なつみに対する不満を言い始めた時だった。

受話口の向こうから、カンカンカンカン……という踏切の警報機の音が聴こえて来た。

変な胸騒ぎがした。

由美は、はっとして、壁の時計を見た。

——23時03分。

「陽子！　今、どこ？」

由美は、急《せ》いたように聞いた。

「……えっ？　……何？」

陽子もこちらの声が聴き取りにくいらしい。

由美は、思わず、怒ったように大声で叫んだ。

「今、どこにいるの？」

踏切の警報機と人混みの雑音に負けないくらいの声で陽子が答えた。

「バイトが終わって、帰るとこ……」

「駅のホーム？」

由美は、そう尋ねながら、自分の足ががくがく震えていることに気づいた。

「陽子！

あの留守電って……28日……

今日の、23時04分じゃなかった？」

その一瞬だけ、すべての雑音が消えて、陽子の声だけがはっきりと聞こえた。

「えっ？　聞こえない」

――『えっ？　聞こえない』――

由美はデジャヴを体験したような気がした。

同時に言い知れない恐怖が今、手にしている携帯電話の受話口の小さな穴から浸《し》み出て来た。

由美の両腕にばーっと、鳥肌が立った。

次の瞬間、あたりをつんざくような陽子の悲鳴が由美の耳に飛び込んで来た。

ぎゃぁあああああ……。

「陽子！　どうしたのっ？　陽子！」

その断末魔を思わせる陽子の悲鳴が電車の轟音《ごうおん》にかき消された後、電話の回線自体がプツリと切れた。

そんな馬鹿な……。

そんなことがあるわけがない。

これも誰かの悪質ないたずらなのだろうか？

由美は、茫然《ぼうぜん》自失としていたが、気を取り直して、陽子の携帯に電話をかけた。

祈るような気持ちで待っていた由美の耳に聴こえて来たのは、通話中の音だった。

ツー・ツー・ツー・ツー・ツー……。

誰かと通話中ということは、陽子の身に何かが起こったわけではないだろう。

すべては由美の思い過ごしだ。

しかし、そのツー・ツー・ツー・ツー・ツー……という音が、由美には不吉な予感をさせる悪魔の足音のように聴こえた。

3rd August

雨が降っていた。

止みそうで止まない雨、憂鬱《ゆううつ》な雨だった。

特に夜の雨は、あたりの木々や瓦《かわら》の屋根やアスファルトの地面を打つ気配がかろうじて、降っていることを教えるだけだ。

等々力《とどろき》渓谷の近くの閑静な住宅街にある一軒家で、岡崎陽子の通夜が行なわれていた。

何十もの傘が重なって、弔問客たちのひそひそ話を隠しているようだ。

忌中の提灯《ちょうちん》の向こう、大きな日本家屋の中に由美はいた。

黒い縁取りの陽子の写真が飾られた祭壇の前で、由美は正座したまま1人で、もう何時間もじっとしていた。

陽子が死んだことが、まだ、信じられなかった。

誰かの顔がすっと近づいて、由美に小さな声で囁《ささや》いた。

「やっぱり、留守電のあの声、陽子だったんだよ」

なつみだった。

さっきまで、あんなに泣いていたのに、もう、けろっとしていた。

まわりには誰もいなかったからよかったが、今する会話ではない。

目配せで、そうたしなめたつもりだったが、なつみはそんなことに気づく様子もなく、由美に耳打ちした。

「聞いた？

即死じゃなかったらしいよ。

右手右足が切断されていたのに意識もあって、

『痛い、助けて』って、駅員に縋《すが》りついて来たんだって」

いたたまれなくなって、由美は、「なつみ！」と声に出して叱った。

由美の剣幕に、あわてて、「ごめん」と言ったなつみは、気まずく思ったのか大広間の
健二たちがいる場所に行ってしまった。

この間、合コンをしたメンバーも来ていた。

何本目かの線香に火をつけた。

涙は、とうに涸《か》れてしまった。

泣きすぎて、こめかみが痛かった。

陽子は、なぜ、死んでしまったのだろう？

なつみが言う通り、あのいたずら電話が何か、関係しているのだろうか？

その理不尽さに腹が立った。

「私は、将来に小さな夢しか持っていないの。

ごく普通の結婚をして、男の子と女の子の2児の母親になれればいい」と言っていた陽子。

その小さな夢さえ叶《かな》わないまま、死んでしまうなんて……。

早すぎる。

陽子は、まだ、20歳だ。

由美は、棺桶《かんおけ》の小窓をそっと、開けた。

病院から帰って来た陽子は、きれいに化粧されていた。

由美は陽子の顔に触れてみた。

真綿を含んでいる陽子の口の中に、何かが見えた。

赤い何か固まりのようなもの……。

「飴玉《あめだま》だよ」

由美の背後から、男の声がした。

振り返ると、葬儀屋が立っていた。

「飴玉？」

葬儀屋は、由美の隣に正座して両手を合わせながら言った。

「こういう死に方をすると、飴玉を頬張ることになる」

「それは、由美にというより、独り言をつぶやいたように思えた。

由美は、聞き返した。

「どういう意味ですか？」

それには、答えずに、葬儀屋は静かに立ち上がると、

「仕事があるので」と行ってしまった。

失礼な男だと、由美は思った。


雨は、いつの間にか、止んでいた。

岡崎家を出ると、由美はここ数日にあった出来事をやるせない気持ちで振り返りながら、駅までの道を歩いていた。

商店街の交差点で信号待ちをしている時、隣の女子高生たちが声を落として話しているのが聞こえた。

彼女たちも陽子の通夜に参列していたらしい。

「殺されたんだよ、陽子先輩も」

その中の1人の言葉に由美は、思わず、反応してしまった。

「殺されたって？」

突然の部外者の乱入に女子高生たちは顔を見合わせ、そして、口を噤《つぐ》んだ。

「陽子は、私の親友だったの。

何か、知っているなら、教えて」

由美は懇願した。

少し迷ってから、さっき、話の中心にいた女子高生が由美に聞いた。

「……陽子先輩にも、かかって来たって、本当ですか？

自分の携帯から自分の携帯へ……」

「ええ……10日くらい前に……」

彼女たちは、やっぱりという表情で、顔を見合わせた。

「それが？」

由美が、話の先を促すと、

「それが……〝死の予告電話〟なんです」と別の女子高生が答えた。

「死の予告電話？」

「里奈先輩の所にもかかって来てたから……」

「里奈さんって、もしかして、ダイビング中に亡くなった？」

彼女は、大きく頷《うなず》いてから、ためらいがちに言った。

「里奈先輩を殺して……里奈先輩の携帯から陽子先輩の携帯へ……」

「ちょっと、待って！

どういうこと？

犯人を知ってるの？」

「この世に恨みを残して死んだ女の霊らしいです」

堰《せき》を切ったように、女子高生たちが話し始めた。

「携帯電話を通じて来ちゃうんです。

殺した人の携帯のメモリーの中から、次の獲物を選んで、
次々に殺して行くって……」

「今、私たちの間で噂になってるんです」

由美は、虚脱感に襲われた。

陽子の理不尽な死について何らかの手がかりになるような気がしていたのに、女子高生たちの間に広がっている馬鹿げた噂話ではしょうがない。

そんな由美の落胆ぶりから、信用されていないと思ったのだろう。

「だから、自分の携帯番号、着信拒否にしておいた方がいいですよ」

女子高生の１人が由美に耳打ちした。

「ありがとう」

由美がその場を去ろうとした時、

「今の話、詳しく聞かせてくれないか?」という声がした。

陽子の家で会った葬儀屋だった。

飴がどうのこうのと、わけのわからないことを言っていたのにも腹が立っていた由美は、

「興味本位で立ち入らないで下さい」とピシャリと言ってやった。

葬儀屋は、由美を無視して、女子高生たちに言った。

「礼ならするよ」

「あなたは……」と抗議しようとすると、今度は由美の方に顔を向けて、葬儀屋が言った。

「この話に首を突っ込まない方がいい」

この男は何を知っていると言うのだろう?

女子高生たちを駅前の喫茶店に誘う葬儀屋の姿を見ながら、由美は思った。

九品仏《くほんぶつ》駅の自動券売機で切符を買っていると、バッグの中の携帯電話が鳴った。

プルルル、プルルル、プルルル、プルルル……。

由美は着メロが嫌いだったので、ごく、普通の呼び出し音だ。

液晶画面には、知らない電話番号が表示されていた。

さっき、女子高生たちにあんな話をされたばかりで、由美はなんとなく、気味が悪かった。

「……もしもし」

変な電話だったら、すぐに切ろうと、フックボタンに親指をかけながら出てみると、若い男の声がした。

健二だった。

以前にも、健二から電話がかかって来たことがあったが、由美はその携帯番号を登録していなかった。

「さっきは……。

ああいう場所では、ちゃんと話せなかったから。

なつみもいたし……」

合コンの時とは、打ってかわったように殊勝な口調だったが、なつみのことを、すでに〝なつみ〟と呼び捨てにしているのが、由美は気にいらなかった。

「陽子が、こんなことになっちゃうなんて……」

沈んだ声で健二が言った。

「……うん」

健二は、何を言いたくて、わざわざ、私の所に電話をかけて来たのだろうと、由美は思った。

陽子の彼氏なら彼氏らしく、お通夜の席で振る舞って欲しかった。

少なくとも、陽子は死ぬ直前まで、健二のことで頭を悩ませていたのだから。

由美の苦手な健二だったが、邪険にはできなかった。

「俺、陽子に……」

健二が陽子のことで何かを言おうとした時、

「ごめん、キャッチが入った」と言った。

そう言えば、陽子が事故に遭ったあの時、由美がすぐに陽子の携帯に折り返し電話したのに、通話中だったのは、なぜだろう。

陽子の携帯だって、キャッチホンの機能くらいついていたはずだ。

でも、あの時は、確かに、ツー・ツー・ツー・ツー・ツーと話し中音が聞こえた。

回線がおかしくなっていたのだろうか？

「由美ちゃん……」

しばらく、待っていると、健二が怯《おび》えた声で呼び掛けて来た。

「オ、オレの携帯番号が表示されてる……」

「自分の携帯から、キャッチホンがかかって来たっていうこと？」

「……陽子の時と同じだ」

絶望したように、健二は言葉を詰まらせた。

「ど、どうしよう？」

「落ち着いて。

まだ、そのことと陽子の事故が、本当に関係があったのかどうかわからないじゃない？

今、どこ？」

「……家の近くにいる」

「そこを動かないで！」

由美はそう言って電話を切ると、九品仏駅の改札口から今来た道を戻った。

ちょうど、女子高生たちと入った喫茶店から葬儀屋が出て来たところだった。

「私の友達の携帯に、自分の携帯からの電話があったんです」

男は立ち止まって振り向きながら、

「俺にどうしろと？」と、冷ややかに言った。

「女子高生たちの噂話に興味を持っていたじゃないですか？　何か、知っているんでしょ？　助けて下さい」

「まだ、何もわかってなんかいない。もしかしたら、永遠にわからないことかもしれない」

「でも、私より、知っているでしょう？」

男は、しばらく、考えてから、近くに停めてあった常磐《ときわ》葬儀社の車を顎《あご》で指して、

「乗れ」と由美に言った。

目には見えない雨が、また、フロントガラスにぱらぱらと落ちて来た。

ワイパーのスイッチを入れながら、男は無愛想に山下と名乗った。

職業柄かもしれないが、どこか暗い影を背負っている感じがする。

「彼の携帯番号は、今日、お通夜をした彼女の携帯の中にメモリーされていたんだな？」

「2人はつきあっていましたから……」

山下はフルスピードで車を飛ばしながら言った。

「その留守電は聞かない方がいい。

聞かなかったところで何かが変わるものではないだろうが、
変なメッセージを聞けば誰でも不安になる」

由美は、あわてて、着信履歴から健二の携帯にリダイヤルした。

「もしもし、由美ですけど、留守電は聞かないで……」

勢い込んで、そう言うと、

「……今、聞いちゃった」と、電話の向こうで、力なく、健二がつぶやいた。

「留守電が残されていた日時は？」

「8月3日……今日の……20時12分……」

インパネのデジタル時計に目をやると、19時33分を表示していた。

「あと、39分……」

隣でハンドルを握る山下に確認するように由美が言った。

「メッセージは？」

対向車のヘッドライトを眩《まぶ》しそうに目を細めながら、山下が聞いた。

「健二くん、留守電には、何て入っていたの？」

「男の声で……『何だよ、これ？』って……

たぶん、……俺の声だと思う」

フロントガラスに当たる雨が、強くなったような気がした。


健二に教えられた団地の駐車場に着いたのは、20時5分だった。

あと7分しかない。

雨はさらに風を伴い、暴風雨の様相を呈していた。

車を徐行していると、ずぶ濡《ぬ》れになりながら、夢遊病患者のように道をふらふらと歩いている健二の姿がヘッドライトに浮かんだ。

「彼です」

由美はそう言って車を停めさせると、ドアを開け外に飛び出した。

激しい雨が由美に降り注いだ。

「健二くん！」

その声が聞こえないのか、健二はきょろきょろとまわりを見回しながら何か独り言をつぶやいていた。

「……いる」

健二の前に立ち塞《ふさ》がるようにして由美が言った。

「私だよ……由美……。

しっかりして！」

すると、健二はすがるような目で訴えた。

「気配がするんだよ。

俺のすぐ近くに……」

まわりに不審なものは何もなかった。

こんな天候のせいで、人影も見当たらない。

誰かが捨てた空のペットボトルが、カラカラとアスファルトの縁を転がっているだけだ。

健二はシャツをはだけ、裸足《はだし》だった。

どこかで靴を脱いでしまったのだろう。

雷が響くと、奇声を上げながら耳を塞いだ。

「わぁ～」

たった数十分の間に気が触れてしまったのか？

「車の中に入れるんだ」

山下に促されて由美が健二の腕を摑《つか》もうとすると、ただ揺れている植木の向こうを指差し、

「そこにいるじゃないか！」と言いながら、その手を振りほどいた。

健二は車の陰に隠れて怯えている。

「何もいないよ。

心配しないで」と由美が話しかけた時だった。

雨と風の音に紛れて、シュッ！　シュッ！　シュッ！　という音が聴こえた。

あたりにその音を発するようなものは見当たらなかった。

「何の音？」

由美がそう叫ぶと、背後で山下が首を横に振った。

どこかで聴いたような音。

「あっちへ行け〜！」

突然、アスファルトに尻餅《しりもち》をついた健二が一点を見つめ、両手で何かを追い払う真似をした。

「どうしたの？」

由美が、子供を諭すようにやさしく聞くと、健二は怒ったように言った。

「あれが、見えないのか？」

健二の恐怖におののいた目の先には、何も見えなかった。

「何がいるんだ？」

山下が、声を荒らげて問い質《ただ》す。

何も答えないまま、健二は「うぉ〜」と呻《うめ》きながら、あとずさりした。

空が、落雷で一瞬、明るくなった。

その瞬間、健二の影が二重に見えた。

シュッ！　シュッ！　シュッ！　また、あの音がした。

「死にたくない」

健二は、そう、絶叫すると、駐車場の脇の送電線の鉄塔に登り始めた。

「健二くん！」

由美は、もう、どうすればいいのかわからなかった。

「そこを動くんじゃないぞ」

山下は、冷静にそう言いながら、健二の後を追って鉄塔を登り始めた。

「来るなぁ～！」

鉄塔の天辺《てっぺん》まで一気に登った健二が下を見て叫んだ。

自分のことを言われたと思った山下は、途中でためらうが、健二の視線は他の所に注がれていた。

見えない何かに怯《おび》えている。

「今、そっちへ行く」

すると、今度は、健二が空中に向かって話し始めた。

「どーして、俺なんだよ？

そんな所、行きたくないよ」

姿の見えない誰かと会話をしている。

恐怖が頂点に達したのかもしれない。

山下がようやく鉄塔の天辺に辿《たど》り着くと、すんでのところで健二が送電線に飛び移った。

健二が送電線に両手でぶら下がった。

バチ……ジジジジ……。

ストロボを焚《た》いたような閃光《せんこう》が走った。

送電線がスパークして、健二の体が感電している。

髪の毛から火がついて、シャツが燃えた。

「きゃ〜っ！」

由美が悲鳴を上げて、しゃがみこんだ。

次の瞬間、健二の体が海老《えび》のように仰《の》け反ってから落下した。

地面に叩《たた》きつけられた健二に山下が駆け寄った。

山下が健二の胸に耳を付けると、

「まだ、息がある」と大声で言った。

「救急車だ！」

そう言われても、由美は腰が抜けてしまって、そこから動けなかった。

山下が、不自然にねじ曲がった体を抱き起こすと、健二がうわごとのように言った。

「何だよ、これ？」

――『何だよ、これ？』――

健二の携帯の留守電に残されていたというメッセージと同じセリフだ。

まさか？

健二は、このセリフを言うために、不可解な行動を取ったようにさえ思える。

突然、健二の体は激しく、痙攣《けいれん》して、口から大量の血を吐いた。

だらりと垂れたその腕の時計が、20時12分を指していた。

「嘘でしょう？」

由美が泣き叫んでいると、山下が健二の口から何かを取り出した。

赤い飴玉《あめだま》だった。

血のせいではなく、元々、赤い飴玉だった。

由美は、他人事《ひとごと》のような雨に打たれながら、

「こういう死に方をすると、飴玉を頬張ることになる」と言っていた山下の言葉をぼんやりと思い出していた。

その1分前、落下のショックで駐車場の車の下に転がった健二の携帯がどこかに発信していたことを由美も山下も知る由がなかった。

その夜、由美と山下は、世田谷署の一室で事情聴取を受けていた。

殺風景な六畳ほどの部屋に机が1つと椅子が4つ。

机を挟んで、こちら側に由美と山下、あちら側に刑事2人が座っている。

2時間ドラマで見るような、取り調べ用の電気スタンドはなかった。

「事情聴取といっても、あくまでも、参考程度ですから……」

初めに、妹尾《せのお》と名乗った若い刑事が緊張をほぐそうとやさしく言った。

「何しろ、あんたのまわりの人間が立て続けに2人も死んだんでね」

眼光の鋭い年配の刑事は、本宮と名乗った。

山下とは、面識があるらしい。

「だから、さっきの人にも言ったけど、彼女は何も関係がないんだ」

怒気を帯びた強い口調で山下が言った。

「それは、我々が判断しますから、聞かれたことに正直に答えて下さい」

妹尾がたしなめるように言った。

本宮は、ショートホープにマッチで火をつけながら聞いた。

「岡崎陽子、河合健二、
2人は、なぜ、自殺したんだと思う?」

「自殺なんかじゃありません」

「なるほど……」

本宮は、我が意を得たとばかりに、にやりと笑いながら、煙草の煙を吐き出した。

「じゃあ、突然、電車に飛び込んだり、鉄塔によじ登って送電線に感電したのは、どういうことなんだろう？」

「ですから、自分の携帯に自分の携帯番号の着信が……」

「その留守電に死ぬ日のことがメッセージされている？」

からかうように、本宮が聞いた。

それが、非現実的なことだということは、由美もわかっている。

でも、それが、自分が体験した事実なのだ。

灰皿を探していた本宮は、それがないと知ると、平気で床に灰を捨てた。

「無駄だ。

こいつらに話しても……」

山下が敵意に満ちた表情で由美に言った。

本宮は山下を無視していた。

「はっきり、言おう。

お嬢さん、あんた、2人がその場で自殺したくなるようなことを言ったんじゃないの？」

一瞬、本宮の言葉の意味がわからなかった。

「帰ろう」

山下にふいに手を引かれた時、由美は初めて、本宮が言ったことの残酷さを理解した。

「まだ、話は終わっていません」

あわてて、制する妹尾に、山下が挑発するように言った。

「この事情聴取は、任意ですよね？」

妹尾は何も言えなかった。

煙草の煙が充満する小部屋を出る時、本宮が吠《ほ》えた。

「そこの葬儀屋と一緒にいると、不幸が伝染《うつ》るよ」


警察署を出て、由美は山下の車でなつみのマンションまで送って貰《もら》った。

「大丈夫か？」

そう言われても、大丈夫なわけがないが、健二のことをなつみに話さなくてはならない。

それに、こういうことがあっては、1人の部屋に帰る気になれなかった。

「今日は、友達の所に泊まるので……」

車を降りた時、運転席の窓から山下が言った。

「携帯の電源は切っておくんだ」

「山下さん、陽子や健二くんは誰に……」

そう言いかけて、やめた。

答えを聞くのが由美は恐かった。

「ううん……

おやすみなさい」

山下は、ただ、「じゃあ」とだけ言った。


さすがのなつみもショックを受けていた。

身近な人間が2人も死んでしまった。

ましてや、健二は、なつみと知り合ったばかりだったのだ。

陽子のお通夜で別れて、後で電話することになっていたらしい。

「その女子高生たちが言っていた通りになったたってこと？

陽子の携帯から健二の携帯へ……」

なつみは、ソファーのクッションを胸に抱えながら言った。

「……わからない」

由美は、部屋の壁に凭《もた》れながら、頭《かぶり》を振った。

「だって、スキューバダイビングで死んだ後輩の携帯には、陽子の携帯電話番号がメモリーされてて、陽子の携帯には、健二くんの携帯電話番号がメモリーされていたんでしょう？」

そう言ってから、なつみが、急に、黙り込んだ。

由美がなつみの方を見ると、なつみも由美を見ていた。

「健二くんの携帯には……私の携帯電話がメモリーされている」

なつみが泣きそうな声で言った。

ちょうど、その時、なつみの携帯の着メロが鳴った。

人気ロックグループの最新曲だ。

2人は顔を見合わせたまま、凍りついた。

部屋に32和音の電子音楽が響く。

ようやく、着メロが鳴り止むと、なつみは恐る恐る、携帯電話を手にして液晶画面を覗《のぞ》き込んだ。

「なつみ!」

通知された着信履歴を確認して、ほっとした表情でなつみが言った。

「高校の時のボーイフレンド」

由美は、すぐに、なつみの携帯を取り上げ、電源を切った。

それから、バッグから自分の携帯も出して、電源を切った。

もう、携帯が鳴る度にどきどきしたくはなかった。


長い一日だった。

いろいろなことがありすぎた。

体は疲れているのに、気持ちが昂《たか》ぶっていて、なかなか寝つけない。

由美はなつみのベッドの下に敷いた蒲団《ふとん》の中で、うつらうつらしていた。

――陽子の遺影。
「こういう死に方をすると飴玉《あめだま》を頬張ることになる」
葬儀屋の山下の言葉。
「それが……死の予告電話なんです」
女子高生たちの噂。
「オ、オレの携帯番号が表示されてる……」
送電線にぶら下がり、感電する健二。
ストロボを焚《た》いたような閃光《せんこう》。
髪の毛から火がつき、シャツが燃える。
落下した健二の最後の言葉。
『何だよ、これ？』
口の中から取り出された赤い飴玉――。
由美の頭の中で今日の出来事がＤＶＤを早送りするようにフラッシュバックしていた。
ふいに、携帯電話が鳴った。
心臓が止まるかと思った。
どこかで聞いたことがあるような着メロだった。
そうだ、居酒屋のトイレで陽子の携帯から流れたあの着メロだ。
由美は、蒲団から飛び起き、バッグの中の自分の携帯を捜しているうちに気づいた。

さっき、電源を切ったのだ。
2人の携帯が鳴るわけがない。
夢を見ていたのだろう。
そう思って、なつみの方を見ると、ベッドの上で呆然《ぼうぜん》としていた。
手には、携帯を持っている。
「だって、電源を切ったじゃない？」
由美が駆け寄ってなつみの手から携帯を奪うと、いつのまにか、電源が入っていた。
「なんで？」
思わず大きな声を上げてしまった。
その液晶画面にメールが届いた表示がされている。
着信履歴には、「8月6日　22時39分」とある。
今日は明けて8月の4日、2日後の着信でメールが送られて来たことになる。
「このアドレスは？」
送信アドレスを確かめると、なつみが血の気が失《う》せた顔で頷《うなず》いた。
なつみの携帯からなつみの携帯へメールが送られて来たのだ。
これも、〝死の予告電話〟なのだろうか？
由美が震える手でメールを開く。
言葉はなく、写真が送られていた。

なつみをちらりと見てから、写真を開いた。

――そこには、なつみの顔があった。

「……?」

由美が言葉を詰まらせてしまったのは、なつみの顔の両脇からぬぅ～と誰かの細く青白い手だけが伸びていたからだ。

その細く青白い手の持ち主の姿はない。

心霊写真のようだ。

「きゃあ～」

横から携帯の画面を覗き込んだなつみが目を見開いて、悲鳴を上げた。

時計の針は午前1時を少し回っていた。

(山下に相談しよう)

由美は、混乱する頭の中で思った。

こんな非現実的なことを理解してくれるのは、世界中を探しても彼しかいないのだ。

自分の携帯を使うのが恐くて、由美はなつみのマンションを出て近くの公衆電話を探した。

今時、公衆電話を使う人は少ないのだろう。

なかなか、見つからなかった。

ようやく、コンビニの脇の公衆電話を見つけ、由美は山下に電話した。

「電源を切っていたのに？」

寝ていたであろう山下が、一気に目を覚ましたという感じで声を上げた。

「絶対に切ってあったはずなんですけど、着メロが鳴ってメールが届いたんです」

「メール？」

「なつみの携帯のアドレスからなつみの携帯へ写真が……」

「どんな？」

「それが……なつみの顔の両脇から誰かの手だけが伸びてて……」

主のない細く青白い手を思い出して、由美は気分が悪くなった。

「受信の日時は？」

「8月6日　22時39分……」

由美の記憶に正確に刷り込まれていた。

「山下さん、私、どうすれば……」

「できる限り、君がそばにいてあげるんだ。

その写真のシチュエーションに彼女が近づかないように、見張る必要がある」

「これって、やっぱり、女子高生たちが言ってた……」

「単なる噂も、時には真実の近くで生まれることがある。

でも、心配するな。

明後日《あさって》までには、まだ、時間があるだろう？」

山下の存在が真っ暗な道にポツンと見えるコンビニの灯《あか》りのように感じた。

4th August

その朝。

「授業、休もうかな？」

マンションを出る時、不安気になつみが言った。

「だめ。あんなことを気にしていたって、しょうがないじゃない？

いつもと同じ生活をするのよ。私が、ずっと、なつみのそばにいるから」

由美は、なつみの体を抱きしめながら叱った。

もし、これが、女子高生の言う〝死の予告電話〟だとしても、あと2日ある。それまでに、絶対になんとかなると、由美は信じることにした。

できるだけ、あの着信のことから気を紛らせるように話題を選びながら、大学のカフェテリアに行くと、クラスメイトの遠藤ゆかりたちが何かを取り合っていた。

「ちょっと、何やってんの？」

ゆかりたちの手に、なつみの携帯電話があった。

人気ロックグループのレアなストラップがついているから、間違いない。

でも、なつみの携帯ならマンションに置いて来たはずだ。

「どうして、私の携帯がここにあるわけ？」

なつみが、信じられないという表情で声を上げた。

「そこのテーブルの下に落ちてたよ。

なつみのだよね、このストラップ……」

中心にいたゆかりが答えた。

常識では考えられない恐ろしいことが起こっていると、由美は実感した。

「今朝、なつみから聞いた時は、冗談だと思ってたんだけどさ、
やっぱり、何か、気持ちが悪いから」

そう言って、ゆかりはなつみの携帯のメモリーから、自分の携帯番号を削除した。

「大丈夫だよ。

ただの噂なんだから、なつみ、元気出して」

なつみに携帯を返すと、何かひそひそ話をしながら、ゆかりは男子学生とカフェテリアを出て行った。

携帯を取り囲んでいる他のクラスメイトたちになつみが叫んだ。

「いいよ。みんなも消したいんでしょう、自分の携帯番号？」

なつみが、携帯を突きつけると、クラスメイトたちは我先に、メモリーから自分の携帯番号を削除し始めた。

「由美も消しなよ」

自嘲《じちょう》気味になつみが言った。

由美はその携帯をみんなから奪うと、なつみの手を無理矢理引いてカフェテリアを飛び出した。


2人は、その足で携帯電話のショップに解約に行った。

「電話機はどうしますか？」

店員に聞かれたので、なつみより早く、

「捨てて下さい」と、由美が答えた。

だからと言って、それで、どうなるものではないかもしれないが、まずは、なつみとこの携帯電話の関係をすべて断ち切ることだ。

店員は、手続きを終え、なつみの携帯を回収ボックスに入れた。

「これで、もう、大丈夫だよ」

由美が期待を込めてそう言うと、

「うん」となつみがぎこちなく頷《うなず》いた。


なつみのマンションに戻ると、エレベーターホールで、突然、テレビカメラやバッテリーライトを持った数人の男たちに囲まれた。

「小西なつみさんって、どっち？」

派手なアロハシャツにサングラスをかけた長身の男が馴々《なれなれ》しく声をかけて来た。

「なんなんですか？」

反射的になつみを由美の体で隠したのだが、それが、逆に答えになってしまった。

「〝死の予告電話〟を受けた小西なつみさんでしょう？

東西テレビのプロデューサーの藤枝です」

胡散臭《うさんくさ》い感じの男だ。

クラスメイトの誰かが面白半分でテレビ局の関係者に話したのだろう。

バッテリーライトが当てられ、カメラが回された。

なつみは、おどおどと下を向いている。

「困ります」

由美は声を荒らげながら、テレビクルーの間を抜けようとするのだが、道が塞《ふさ》がれて前へ進めない。

「大学まで取材に行ったんだけどさ、

許可が下りなくてね。うちの番組で有名な霊能者の先生を呼んでるんで、除霊しない?」

軽い感じで藤枝が言った。

冗談じゃない。

この男は、興味本位でなつみをテレビに引っ張り出そうとしている。

「日本一の霊能者なんだよね。こうなったら、悪霊と対決するしかないでしょ!」

なんて男だ。

視聴率を取るためには手段を選ばないというのか!

「なつみ、行こう!」

由美は無性に腹が立って来た。

由美は、カメラやライトをかきわけ、強引に前に進んだ。

「岡崎陽子さんや河合健二さんみたいになっていいの?」

なつみの足が止まった。

「なつみ!」

藤枝が、その一瞬の迷いを突いて来た。

「時間がないんでしょう? 8月6日、明後日の22時39分なんて、あっという間に来ちゃうよ。

あと54時間切ってる……」

「本当に除霊できるんですか？」

なつみが藤枝に向かって不安気に聞いた。

「そんなの嘘よ。

テレビなんか、やらせに決まってるじゃない！」

由美がなつみの目を覚まさせようと体を揺すりながら言うと、

「君、少し、黙っててくれない？」と、藤枝が二人の間に割り込んで来た。

「ねえ、その〝問題の携帯電話〟、見せてくれないかなあ」

「もう、解約しました」

きっぱりと由美が言った。

すぐに、なつみの手を引くが、なつみは、もう、自分の意志で動こうとしなかった。

「えっ？　本当に解約しちゃったの？」

残念そうな藤枝の言葉になつみが頷く。

すると、藤枝は、ポケットから自分の携帯を取り出し、なつみに渡して、カメラマンに目で合図した。

「小西さん、これが〝死の予告電話〟を受けた携帯ですね？」

なつみは、事情がわからずにきょとんとしている。

カメラがなつみの顔をアップで捉《とら》えているのがわかった。

何ということだろう。

藤枝は、自分の携帯をなつみに持たせて代用しようというのだ。

「いい加減にして下さい。

警察を呼びますよ」

由美が、そう怒鳴った時、なつみが持たされた携帯電話から着メロが鳴った。

あの不気味なメロディだった。

藤枝たちテレビクルーは、何が起きたのか、理解していなかった。

「なつみ！」

由美をちらっと見てから、液晶画面を覗《のぞ》いたなつみが声にならない声を洩《も》らしながら、携帯を手放した。

――床に落ちた携帯は、小西なつみからメールが届いたことを知らせていた。

そんな馬鹿な……。

だって、これは、この藤枝の携帯だ。

そこに、なぜ、なつみからのメールが送られて来るのか？

この男とは、今、ここで初めて会ったばかりではないか！

誰かが、私たちの行動を監視しているのだろうか？

それでなければ、こんなに都合よく、着メロが鳴るわけがない。

由美は、あたりを見回しながら、その携帯を拾って送られて来た写真を開いた。

顔の両脇から伸びた誰かの手が、耳のあたりを摑《つか》み強引になつみの顔を90度右に向かせていた。

恐怖に引きつったなつみの横顔がリアルだった。

携帯を覗き込んでいたテレビクルーたちが、「うわっ！」と叫んだ。

「小西さん、これ、マジでやばいよ。

絶対、お祓《はら》いした方がいいね」

藤枝は、渡りに船という感じで、そう脅しながら、由美から自分の携帯を取り返した。

テレビ局の人間にしてみれば、最高においしいVTR素材が手に入ったのだ。

「一刻も早く、霊能者の先生に相談するべきだよ。

明後日《あさって》の本番まで、ホテルを取ってあるから」

「そんなことして、何になるんですか！」

今度こそ、由美は真剣に怒った。

生来、短気な方ではなく、むしろ、おだやかな性格のように思われている由美だったが、
本当は、自分の体の中に激しい感情が閉じこめられていることを知っていた。

そのマグマのような感情が怒りとなって、無責任な藤枝に向けられた。

由美の背中に隠れてぶるぶると震えていたなつみが、ポツリと言った。

「私、行く」

「え？」

思わず、由美が聞き返した。

「……陽子や健二くんのようになりたくない」

なつみは怯《おび》えきっていた。

「だめ！」

由美は、そう、叫びながら、なつみの腕を摑んだ。

なつみがその由美の腕を振り払いながら言った。

「何ができるの？

由美に何ができるの？

あと54時間しかないんだよ？

その間に、由美が何をしてくれると言うの？」

「なつみ……」

「何もしないで、逃げ回るより、今、できることを試してみた方がいいじゃない？」

由美は、返す言葉を失っていた。

確かに、由美は無力だった。

山下の力を借りたとしても、何ができるのか自分でもわからなかった。

「OK、ここにいても始まらない。

すぐに、ホテルに入って、霊能者の先生と打ち合わせしよう」

そう言って、藤枝たちはなつみを抱き抱《かか》えるようにしながら連れ去った。

エレベーターの扉が閉まる間際、なつみが何か言おうとしていたが、その真意は由美にもわからなかった。

急に誰もいなくなったエレベータホールに1人残された由美は、言いようのない敗北感に襲われていた。


待ち合わせていた喫茶店に、すでに、山下は来ていた。

由美が、なつみとテレビクルーの一件を話し終えると、それまで、黙って聞いていた山下が静かに言った。

「それで、彼女の救いになるなら、いいじゃないか。

きっと、今の彼女は死刑執行を待つ死刑囚のようなものだと思う。

精神的に追い詰められているからね。

何か、具体的に彼女を助ける方法が見つかるまで、テレビ局に保護してもらえばいい」

由美は冷静な山下を見て、この人なら、なつみを助けることができるかもしれないと思った。

それは、山下の目だ。

決して、揺らがない何か。

執念のような思いの強さが、そこにあった。

「これ、わかるか？」

山下が、ショルダーバッグの中から、ひとつの携帯電話を見せた。

見覚えのあるプリクラが貼ってあった。

——頰を寄せ合った陽子と健二が笑いながら、ピースサインをしている。

「……陽子の？」

「さっき、彼女の実家へ行って借りて来た」

今となっては、持ち主のいないその携帯電話が残酷な事実を伝えているように思えた。

肉体は滅びても、そのまわりのものたちは、ずっと、存在し続ける。

皮肉なことに、目の前の携帯電話は無傷だった。

山下は、なぜ、陽子の遺品を借りて来たのだろう？

「君が彼女と電話していて、それが切れてしまった時間は？

つまり、彼女が電車に撥《は》ねられた時間だ」

それは、由美に何かを思い出させるために聞いている質問のように思えた。

「……23時04分」

「これを見てくれ……」

山下はそう言いながら、陽子の携帯電話の発信履歴を開いた。

発信履歴？

着信履歴ではなく？

そんな疑問を抱きながら、液晶画面を覗き込むと、

——7月28日　23時05分の発信履歴が残っていた。

「その1分後、彼女の携帯から発信されている」

「どういうことですか？」

「電車に撥ねられた後に、電話をかけているんだ」

由美の頭の中に、あの時の陽子とのやりとりがフラッシュバックした。

「陽子の悲鳴を聞いた直後、電話が切れちゃって、すぐにかけ直したのに、話し中で繋《つな》がらなかったんです。

あの時、陽子、誰かに電話を……」

「ありえない。

携帯電話を握っていた右手は切断され、体から離れた場所に転がっていたそうだ」

そう言えば、お通夜の席でなつみも言っていた。

——「聞いた？

即死じゃなかったらしいよ。

右手右足が切断されていたのに意識もあって、

『痛い、助けて』って、駅員に縋《すが》りついて来たんだって」

携帯電話を握りしめた右手が切断されて線路脇に転がっている画《え》を想像して、由美は身震いをした。

「健二くんの携帯も調べさせて貰《もら》った。

彼の携帯にも発信履歴が残っていたんだ。送電線に感電して落下した後でね」

「そんな……だって、私たちが目撃した限り、あの時の健二くんはどこかに電話をかけられる状況じゃなかったじゃないですか！」

「かけていたのは、本人たちじゃないってことだ」

「じゃあ、誰が……」

山下はそれには答えようとはしないで、ショルダーバッグから、もうひとつの携帯電話を取り出した。

高熱で溶けてしまったらしく、一部が変色して、かたちも歪《ゆが》んでしまっている。

「これは？」

「……妹のだ」

山下が無表情に答えた。

「……今年の1月、火事で死んだ。

妹の携帯に自分の番号の着信があって、その20日後だ」

深い悲しみを断ち切ったように毅然《きぜん》とした口調で言った。

「山下さんは、それで……」

「妹は、自殺するような人間じゃない。

妹のことは……律子のことは、俺が一番、知っている」

　山下が、どこか、つっけんどんで愛想《あいそ》のないものの言い方をする理由がわかったような気がした。

「変な電話がかかって来たと言っていた。

　そのことを警察に話したけど、逆に、それが、律子の精神状態が不安定だったと受け止められてしまったんだ」

「留守電には何て入っていたんですか？」

「その時は、単なるイタズラ電話だと思っていたから、気にも留めなかったけど、律子は、『自分の声で【お兄ちゃん……助けて】と入っている』と言っていた」

　苦渋に満ちた表情で、山下が吐露した。

「律子は火事の現場から救出された時、
　重度の火傷《やけど》を負いながらも、なぜか、意識があったそうだ。

　消防士の腕の中で律子が、呻《うめ》くようにつぶやいたらしい。

『お兄ちゃん……助けて』って」

　この数か月の間、妹のSOSに気づかなかったことを重い十字架のように背負って来たのだろう。

　今、初めて、他人に打ち明けたに違いない。

「今だから、わかることじゃないですか？

　その時点では、まだ、その着信履歴に意味があるなんてわかっていなかったし……」

「事故に遭うことは、仕方のないことかもしれない。

でも、……

どうせ、助からないんだったら、苦しまずに死なせてやりたかった」

由美は、何も言えなかった。

もし、自分の愛する人が同じ状況になったら、山下と同じことを考えるだろう。

「飴玉《あめだま》があった。

律子の口の中に……。

俺が知らせを受けて、病院に駆け付けた頃には、律子はもう、こと切れていた。

病室で律子の亡骸《なきがら》と対面した時、包帯でぐるぐる巻きにされた律子の口から、赤い飴玉が覗《のぞ》いていたんだ」

「陽子や健二くんの遺体にあったのも……」

山下は頷《うなず》いた。

「どうして、そんなものが？」

「何かのダイイングメッセージのような気がする。

それに……この電話番号だ」

山下が、ポケットから走り書きしたメモを見せた。

——３７０４—×××

「手当てをしてくれた当直医が、処置中に律子の携帯が発信しているのを見てその番号をメモしていた」

「律子さんがかけたんですか？」

「いや、見ての通り、この携帯は火事の時の高熱で壊れていたはずだ。それに、律子のベッドから離れた所に置いてあったそうだ」

「壊れてしまっている携帯から、無人で発信されたってことですか？」

「そうだ。

それだけじゃない」

山下は、陽子の最後の発信履歴に残った電話番号とメモの電話番号を照らし合わせながら、由美に見せた。

――３７０４―××××

――３７０４―××××

「同じ所にかけている！」

由美は、この喫茶店の冷房より強い寒気を感じた。

「健二くんの携帯にも、ダイビングで死んだ彼女の携帯にも、同じ番号が残っていた」

自分が覗いてはいけない障子戸の向こう側を、由美は、今、覗こうとしているような気がした。

「どこの電話番号なんですか？」

「今はもう、使われていなかったから、

調べてみた。

「……病院だよ」


新築の加賀見《かがみ》病院は、上野毛《かみのげ》にあった。

医師免許は持っていないが、アメリカで経営学のMBAを取得したやり手の二代目が、病院経営を抜本的に見直し、ベッド数50床程度の先代の病院を最新の医療設備と優秀な医師を揃えて、ベッド数170床の病院にしたという。

面会時間ぎりぎりだったので、人影もまばらだった。

由美と山下は、まだ、真新しい匂いのするロビーを抜け、受付を訪ねた。

「この電話番号は、こちらに移る前の加賀見病院のものですよね？」

「ええ、昔の病院の緊急用の電話番号です」

病院はサービス業と教育されているのだろう、ホテルのフロント係のように愛想のいい女性職員が答えた。

「ここに、移転されたのはいつです？」

「今年に入ってすぐです」

由美が、岡崎陽子の写真を見せながら、

「岡崎陽子、この病院に通院していませんでしたか？」と聞いた。

「申し訳ございません。

患者さんについては、規則でお話しできないことになっておりまして……」

確かに、病院には、守秘義務がある。

健二やダイビングで死んだ陽子の後輩のことを聞いても同じだろう。

誰がこの病院に通院していましたなんて、明らかにするわけがない。

「ありがとう」

山下は、そう言って、あっさり、引き下がった。


「なんで、移転前のこの病院にみんなの携帯が発信したんでしょう？」

「全員がこの病院に通院していたとは思えない。

少なくとも、律子は違う」

「あの電話番号は、緊急用のものでしたよね？

事故が起きて、誰かが通報しようとしたんじゃないでしょうか……」

「そこにはいない誰か、か……」

2人はありえない状況の中で、ありえそうなことへの糸口を探していた。

「あれ、見てみろ！」

ロビーのベンチに腰を下ろしながら山下がつぶやいた。

大型のテレビになつみの顔がアップで映っていた。

「さっきの取材の……」

由美はテレビに釘《くぎ》づけになった。
——マンションのエレベーターホールでマイクを突きつけられるなつみ。
『〝死の予告電話〟を受けた小西なつみさんでしょう？』
戸惑うなつみの顔。
突然、鳴り響く着メロ。
なつみのアドレス。
メールを開くと、顔の両脇から誰かの手が伸びているなつみの写真。
あの一連の騒動がテンポよく、編集されている。
『〝死の予告電話〟を受けた女子大生、スタジオ生出演。
悪霊VS霊能者
運命の時、彼女の身に一体何が起こるのか？
——8月6日22時39分——
心霊携帯スペシャル　明後日　夜9時生放送』
オーバーなナレーションと音楽が否応《いやおう》なしに盛り上げる。
たった数時間前に取材されたものが、もう、勝手に放送されている。
藤枝たちは、あれから、局へ帰り、自分たちに都合よく編集したのだ。
許せない。
これでは、なつみは好奇の目に晒《さら》された実験台だ。

「私、なつみの所に……」

由美がそう言って、立ち上がった時、奇妙な音が聴こえて来た。

シュッ！　シュッ！　シュッ！

「この音？」

「どうした？」

「健二くんが鉄塔に登った時も、聞こえましたよね？」

由美が、あたりを見回すと、ちょうど玄関から母親に連れられてやって来た5〜6歳の男の子が苦しそうに吸入器を口に当てていた。

シュッ！　シュッ！　シュッ！

喘息《ぜんそく》の発作を起こして、時間外の急患として来たのだろう。

「喘息用の吸入器か……」

「確かに、あの音でした。

健二くんは、あの音がする方を見て怯えていたんです」

ただ、それが、どういう意味を持つのか、由美にもわからなかった。

「喘息患者の遺体？」

下北沢にある雑居ビルの一室で大東亜葬儀社の村松が旧式のパソコンを操作しながら、聞き返した。

「あんたならわかると思ってさ」

山下が期待を込めて言った。

村松がアイコンをクリックするたびに、何枚もの死体写真がディスプレーされる。

仕事用というより趣味で集めているように思えて、不気味だった。

「普通、同業者には教えないよ。

前に、世話になったあんただからな」

村松は、前歯の抜けた黄色い出っ歯を見せて笑った。

山下が勤めている葬儀社で調べれば早いのにと由美は思ったが、病院には出入りできる業者が決まっていて、加賀見病院の場合は、大東亜葬儀社らしい。

「ウチが、最近、加賀見病院から請け負ったのは……

黒岩恒雄《つねお》さんと……坂上まつさん……

2人だけだね」

マウスを動かしながら言った。

山下が、ポケットの中から似つかわしくない女物のアドレス帳を取り出した。

「妹は几帳面《きちょうめん》な性格だったから、携帯にメモリーしていた電話番号はこのアドレス帳にすべて、書き写して児童相談所の机の中にしまってあったんだ」

しばらく、アドレス帳をめくっていたが、それらしい名前は見つからなかったらしく、
山下は由美に向かって首を横に振った。

由美も陽子の携帯のメモリーを検索してみたが、黒岩恒雄の名前も坂上まつの名前もなかった。

自分たちが細い糸を手繰り寄せるように何かを探しているような気がした。

問題は、その探している何かさえわからないことだ。

喘息用の吸入器だけで、あの病院と結びつけようとしたのは無理があったかもしれない。

むしろ、あの病院に恨みを持って死んでいった患者を当たるべきだったのか？

「あれっ？」

パソコンの画面を見ていた村松が甲高い声を上げた。

あわてて、また、クリックする。

「もう、1人いたよ、子供だけどね。

水沼美々子《みみこ》ちゃん、10歳。

去年のクリスマスイブに、小児喘息の発作から呼吸困難を起こして死んでる」

さっきと同じように、山下が妹のアドレス帳をめくり、由美が陽子の携帯のメモリーを検索した。

陽子の携帯のメモリーには、水沼美々子の名前はなかった。

「水沼毬恵《まりえ》……？」

アドレス帳のMのページで手を止めた山下がつぶやいた。

「それ、美々子ちゃんの母親の名前」

村松がパソコンの画面を指さしながら言った。

「借りるよ」

山下が、机の上の受話器を取り、アドレス帳に残された水沼毬恵の携帯番号をプッシュした。

「水沼毬恵さんの住所、わかりますか?」

由美がそう聞くと、

「わかるけど、誰もいないよ」と、村松が答えた。

「もともと、母子家庭なんだけどさ、葬儀の後、母親が行方くらましちゃって、ウチ、葬儀代貰《もら》ってないのよ」

ルルル……ルルル……ルルル……。

スピーカーフォンに切り替えた電話から、呼び出し音が流れた後、留守番電話に繋《つな》がった。

――『水沼です。

ただいま、電話に出られません。

ピーッという信号音の後、メッセージをどうぞ』

陰気な声だった。

おそらく、水沼毬恵本人の声なのだろう。

「山下と申します。

お手数ですが、折り返し電話をいただけますでしょうか……。

私の携帯の電話番号は……」

山下が留守電にメッセージを入れている間に、村松が大きく伸びをしながら言った。

「いっつも、留守電だし……。かかって来やしないよ」

東西テレビにほど近いエメラルドホテルの一室に、なつみは匿《かくま》われていた。

というより、軟禁状態だった。

テレビ局側にしてみれば、今のなつみは、どんな有名タレントより視聴率の取れる〝時の人〟なのだ。

通常、テレビ番組は数か月先まで、どの時間帯にどんな番組を放送するか決まっている。

それを、藤枝が編成部と営業部とかけあって、2日後のプライムタイムに2時間の枠を空けたのだ。

まさに緊急特番だ。

報道班では、大きな事件があれば、そういうシフトを敷くが、バラエティ班では、初めての試みだ。

藤枝は30％は堅いと読んでいる。

今日の夕方から、大々的にテレビスポットを打ち始めた途端、番組に対する問い合わせが殺到した。

「死の予告電話は、本当なのか？」

「霊媒師は、彼女を助けることができるのか？」

「生放送中に彼女が死ぬことはあるのか？」

中には、

「死者が出ている事件に対して、興味本位で取り上げるのはいかがなものか？」という批判的なものもあったが、テレビとはそういうものだと、藤枝は開き直っている。

批判も含めて、話題性だ。

ひょっとしたら、40％も夢ではないかもしれない。

藤枝は、部屋のソファーに膝《ひざ》を抱えて震えているなつみを見ながら、1人ほくそえんだ。

いいネタを拾った。

今や、流行は女子高生たちの手によって生まれる。

ファッション、音楽、商品、そして、噂……。

「何か、面白いことがあったら、ギャラを払うから」と、渋谷《しぶや》で遊ぶ女子高生たちに餌をまいておいたのだ。

そこで、キャッチしたのが、〝死の予告電話〟の噂だ。

初めは、藤枝もそれほど、興味はなかった。

よくある都市伝説のひとつくらいに思っていた。

それが、1人死に、2人死に、3人死んだところで、ネタになると確信したのだ。

この手の番組はシリーズ化できる。

前回、放送したものに、少しだけ、新しい素材を足せば、パート2なり、パート3ができてしまうのだ。

藤枝には、目の前の女子大生が金の卵に思えて来た。

「何を、そんなに恐がってるわけ？」

なつみは、ちらりと藤枝を見たが、また、目を逸《そ》らしてしまった。

「テレビで取り上げれば、世間が注目するからさ。

犯人はすぐ、捕まるよ。

ウチとしては、生放送中に捕まってくれると最高なんだけどさ」

「犯人って？」

藤枝と2人でこの部屋に閉じこもってから、初めて、なつみが喋《しゃべ》った。

「君は、まさか、本気で〝死の予告電話〟を信じてるわけじゃないだろう？」

煙草に火をつけながら、藤枝が聞いた。

「番組上は、オカルト路線を通すけどね、
これは、もっと、知的なサイコパスの犯行だ」

「サイコパス？」

「精神異常者だよ。

かなり、知能の高い……」

「でも、常識では考えられないことが起きているんですよ」

「そこが、奴の狙いさ。

自分の携帯から自分の携帯へ着信履歴を残したり、
何日も先の日時で留守電にメッセージを入れるのも、何かトリックがあるはずだ」

「陽子も健二も実際に、予告通りに死んだじゃないですか？」

「2人とも自殺だろう？

岡崎陽子の後輩も、ダイビング中に不可解な行動をして死んでる。

みんな、錯乱状態になって、自分から死んでいるんだ」

「どういうことですか？」

「たぶん、犯人は〝死の予告電話〟のトリックを使って、被害者を精神的に追い込んでいるんだと思う」

「そんな……」

「現に君は、食事も喉《のど》を通らないほど、怯《おび》えてるじゃないか？

岡崎陽子も河合健二も、心理的に追い込まれたんだ。

その恐怖から逃れるために、電車に飛び込んだり、送電線に登りたくなるくらいにね。

君も、ここに身を潜めていなかったら、何かの方法で、追い込まれていただろう」

なつみが怯えて、番組に出ないなんて言い出さないように、藤枝は口からでまかせを言った。
じっと、藤枝を見つめていたなつみが、恐る恐る聞いた。
「もし、霊の仕業だったとしたら……」
「俺は、何本もその手の番組を作って来たけど、
本物の霊なんて、一度だってお目にかかったことはない。
どんな常識では考えられないことでも、トリックがあった。
テレビは、それに見て見ぬふりをして来たんだ」
霊の仕業だろうが、サイコパスの仕業だろうが、藤枝には関係ないことだった。
ここに、命を狙われた女子大生がいる。
その事実さえあれば、番組はでっちあげられる。
いや、それが、事実である必要すらない。
「じゃあ、今回の有名な霊能者の先生というのは？」
「その世界では、第一人者だそうだ。
今までに、何人もの悪霊を退治しているらしい。
自称だけどね……」
「早く、会わせて下さい」
ソファーから立ち上がって、なつみが藤枝に懇願した。
「だめだ。

その対決は生放送の番組の中でやる」

藤枝は、今まで、自分が作って来たオカルト番組のような台本を作るのはやめようと思った。

「これは、ドキュメンタリーだ」

煙草を灰皿の縁でもみ消しながら、藤枝は独り言のようにつぶやいた。


山下の部屋は殺風景だった。

あまり、きょろきょろするのは失礼だと思ったが、ちらっと見た感じでは、生活に必要最低限のものしかなかった。

生活感がなさすぎて、厭世的《えんせい》にさえ思える。

前の会社を辞めてまで、妹の死の真相を知ろうとする執念の証《あかし》なのだろう。

「適当に座って……」

色褪《いろあ》せた畳の上に腰を下ろすと、山下が妹の遺品箱の中から一冊のノートを取り出した。

「律子のノートだ」

ぱらぱら、めくっていた山下が、あるページを広げた。

「さっき、思い出したんだ」

ノートには、丁寧な字で仕事の内容が書かれていた。

――『11月2日　水沼菜々子ちゃん　右腕脱臼《だつきゆう》。

11月9日　水沼美々子ちゃん　右足首剝離《はくり》骨折。
11月12日　水沼美々子ちゃん　喘息《ぜんそく》発作。
11月18日　水沼菜々子ちゃん　頭部裂傷　3針縫う。
11月19日　水沼菜々子ちゃん　薬物アレルギー。
11月23日　水沼美々子ちゃん　喘息発作。
11月26日　水沼菜々子ちゃん　左大腿《だいたい》部に2度の火傷《やけど》。
11月29日　水沼美々子ちゃん　画鋲《がびょう》を誤飲。
11月30日　水沼菜々子ちゃん　右目に農薬が入り、洗浄。
加賀見病院での救急治療、11月だけで9回』

「山下さん、これ……」

「ああ。たぶん、律子は加賀見病院から水沼毬恵について、なんらかの相談を受けていたんだ。

ぼんやりだが、少しずつ、何かが繫《つな》がって来た」

その時、山下の携帯が鳴った。

今の由美は、誰かの携帯が鳴るだけで心臓が止まりそうになる。

着メロがディズニーの「星に願いを」だった。

山下のイメージからは、似つかわしくない。

「律子が好きだった曲なんだ」

照れたように言い訳しながら、山下が電話に出た。

「はい……明日もちょっと……」

会社からの電話らしい。

電話で、無愛想に話している山下の横顔を見ているうちに、由美は、男性の部屋に入ったのは、これが初めてだと気づいた。

お茶も座布団も出さない独身男性の武骨さが心地よかった。

「だったら、辞めさせてもらいます」

ここのところの仕事ぶりに対して上司から、何か言われたのだろう。

「山下さん……」

「これで、時間ができた」

山下は、由美を見て笑った。

彼の妹が羨《うらや》ましいと思った。

もし、自分が釈然としない死に方をした時、山下のように仕事を辞めてまで、真相を追及してくれる人はいない。

由美が死んだ後、由美が好きだった曲を携帯の着メロに入れてくれる人も……。

5th August

桜丘にある児童相談所は、昼休みということもあって閑散としていた。

窓口が開いている時間なら、引きこもりやら家庭内暴力やら非行に走る子供を持つ親たちが藁《わら》にも縋《すが》る思いで相談に乗って貰《もら》っているのだろう。

パーテーションで仕切られたブースの中で山下と由美は、人のよさそうな中年の女性職員と向かい合っていた。

差し出された名刺には、「臨床心理士　緒方友紀乃《おがたゆきの》」とあった。

臨床心理士というのは、主に病院や司法機関や児童相談所などでカウンセリングを行なっている心の専門家である。

「律子さんとは、仕事以外でも親しくさせていただいていました。

本当に残念で……」

社交辞令ではない物言いで、言葉が途切れた。

「……水沼毬恵という女性をご存じですか？」

「え？」

思いがけない質問に緒方は戸惑った様子だった。

「律子から、水沼毬恵さんのことで、何かお聞きになっていませんか？」

「どうして、彼女のことを？」

「律子のノートにいろいろなメモが残されていました。

『水沼さんは未婚のまま2人の子供を産み、生活保護を受けながら親子3人で暮らしていた。

　ところが、2年くらい前から、姉の美々子ちゃんと妹の菜々子ちゃんが病気や怪我で頻繁に加賀見病院の救急治療に運び込まれるようになる。

　そして、去年の暮れ、姉の美々子ちゃんが小児喘息で死んだ』

　そんなようなことです」

　緒方の顔が不審そうな表情に変わった。

　律子の兄が訪ねて来たというので、何か思い出話でも聞きに来たと思っていたのだろう。

「申し訳ありませんが、個人のプライバシーに関わることは……」

「〝死の予告電話〟って、ご存じですか？」

　山下が唐突に言った。

「ええ、最近、テレビや雑誌で取り上げられている？　子供たちの間でも、〝死の予告電話〟ごっこが、いじめを誘発して問題になっているんです」

「水沼さんが、何かを知っているかもしれないんです」

「どういうことですか？

私にはさっぱり……」

「私たちにも、よくわかりません。

ただ、被害者たちを調べていくうちに、水沼さんの名前が浮かび上がったんです」

緒方は、俯《うつむ》いて、何かを考え込んでいた。

「このままいったら、本当に殺されるんです」

由美は、思わず、緒方に詰め寄った。

「今、テレビで繰り返し流されている〝死の予告電話〟を受けた女子大生は、彼女の友達なんです」

山下が真剣な眼差《まなざ》しで訴えた。

「もう4人……私たちが知っているだけで、もう4人も殺されているんです。

このままだと、なつみも……」

由美に気圧《けお》された緒方が、ようやく、口を開いた。

「律子さんから、何回か意見を求められました。

水沼さんが実の娘たちを虐待しているんじゃないか？　って……。

でも、虐待とは認められませんでした」

「どうしてですか？

律子さんのノートに残されているだけでも、あんなに病院に……」

「確かに、子供たちの救急治療は頻繁でしたが、水沼さんはその事実を隠そうとはしていませんでした。

その度に、水沼さん本人か、お姉ちゃんが緊急用の番号に電話して来たそうですから。

普通、虐待する親というのは、自分の行為がばれたくないために、余程のことがない限り、病院には連れて行きません。

私たちも調査しましたが、担当した医師や看護師の話では、水沼さんは、本当に、一生懸命、夜も寝ないで看病していたそうです」

「では、律子は、何を気にかけていたんでしょう?」

山下が聞いた。

じっと、話を聞いていた由美が、緒方が答える前に、ぽつりとつぶやいた。

「代理ミュンヒハウゼン症候群?」

緒方は、由美の言葉に驚きながら言った。

「よくご存じですね?

律子さんは、そう、疑っていたんです」

「ダイリミュンヒ?」

聞き慣れない言葉に、山下が説明を求めた。

「代理ミュンヒハウゼン症候群。

母親が様々な手段を使って自分の子供を病人に仕立ててしまう心の病気です」

「一体、どうしてそんなことを？」

「献身的に子供を看病するお母さんは、人から注目され、同情され、誉めて貰えますから」

「そんなことのために、自分の子供に危害を？」

信じられないといった表情で山下が言った。

「母親が幼少期に受けた虐待が原因のひとつとも考えられています」

昼休みが終わったらしく、職員がぞろぞろと帰って来た。

「水沼さんと、連絡を取れませんか？

何度かけても、携帯が留守電で……。

美々子ちゃんの葬儀代も支払わないまま、どこかに雲隠れしてしまっているらしいんです」

「それは、うちも同じです。

全く、連絡が取れません。

妹の菜々子ちゃんを施設に預けたままですから」

「そうですか……。

もし、何かあったら、私の携帯に電話して下さい。

お手間を取らせました」

山下と由美が一緒に頭を下げて、ブースを出ようとすると、緒方が小声で言った。
「美々子ちゃんが喘息《ぜんそく》の発作を起こした時、
水沼さんがそばにいながら見殺しにしたという噂があって、
それで、彼女、どこかへ行方をくらましているらしいです」
由美も山下も、やりきれない気持ちでいっぱいだった。

児童相談所を出ると、舗道にせり出したオープンカフェのテーブルで女子高生たちが騒いでいた。

「ねーねー見た？

〝死の予告電話〟の新しい写真……」

その中の1人が携帯電話でテレビ局のサイトにアクセスしている。

グロスを唇に塗っていた茶髪の女子高生が、その携帯を覗《のぞ》き込んで叫んだ。

「うわっ、これ、マジ、キモくない？」

他の子たちも、携帯を覗き込む。

「ウソ、何これ？」

「カナリ、ヤバイよ」

「テレビ、ミタクない？」

由美が、いきなり、駆け寄り、

「ちょっと、見せて」と
女子高生の携帯を奪って山下と覗いた。

「何？　チョームカック」

「勝手に人の携帯、見るんじゃねーよ」

「〝死の予告電話〟かかっちゃえってカンジ」

品のない女子高生たちに、散々、毒づかれたが無視した。

写真の中のなつみは、顔の両脇から伸びた手に耳のあたりを掴《つか》まれ、右に１８０度、ぐるりと後ろを向かされていた。

死のカウントダウンは、８月６日　22時39分に向けて確実に針を進めていた。


『世田谷署　刑事組織犯罪対策課　強行犯捜査第一係』

所謂《いわゆる》、刑事部屋は雑然としていた。

およそ、来客など、想定されていない散らかり方だ。

その片隅の古びたソファーで本宮は電気剃刀《かみそり》で髭《ひげ》を剃《そ》りながら、山下と由美を前にして携帯からアクセスしたなつみの写真を見ていた。

「巧く、作るもんだな」

隣で覗きこんでいる部下の妹尾に向かって、本宮が言った。

由美は抗議するように、

「本物です」と語気を荒らげた。

「あ、そう。

まあ、こういうのは、それでいいんじゃねえか？　信じる人間と信じない人間がいるってことだからさ」

「今すぐ、なつみを保護して下さい」

「テレビ局が保護してるんだろ？」

「あれは、なつみを番組に出そうとして……」

「だからさ、テレビ局と組んで、〝やらせ〟をやろうとしているオカルト話に、首突っ込めってのが、土台無理だろ？」

本宮は、真剣に話を聞くつもりがないことを示すように、そばのアフターシェーブローションを顔に叩《はた》きながら言った。

「お嬢さんさ、俺が保証するよ。

その時間が来ても、何も起きないって……。

テレビの連中が四六時中、そばにいたら、誰も手を出せねえよ」

とりつく島がなかった。

ずっと、黙って聞いていた山下が、水沼毬恵の名前と携帯電話番号を書いたメモを差し出した。

「この携帯が使われた地域を限定して欲しい」

本宮は、ちらっと、メモを見て聞いた。
「なんだ、ミズヌママリエって?」
「この事件の鍵《かぎ》を握っている」
「事件性がないと、無理だな。
いろいろ、手続きが面倒でな」
本宮という刑事は、心根が腐っていると、由美は思った。
この腰の重さは何なのか?
由美たちが、いろいろ、動き回っていることが気に入らないのだろうか?
「言ったろ、無駄だって?」
山下が、聞こえよがしに言った。
本宮がそれに応《こた》えるように言った。
「俺たちの仕事は、犯人逮捕だ。
霊だの呪いだの、ワッパかけられないもんを追い掛けてる暇はねえんだ」
「警察が、あの時、妹の死をちゃんと捜査しておけば、
こんなに犠牲者を出さずに済んだんだ」
腹の底から怒りを搾り出すように山下が言い残して出て行った。
由美も後を追いかけた。
「葬儀屋!

死んだ人間は帰らねえんだ。

早く、忘れろ！」

本宮が心ない言葉を山下の背中に浴びせた。


東西テレビの制作局は、熱気に包まれていた。

藤枝のデスクの近くは、ひっきりなしに、電話が鳴っていた。

人の出入りも激しい。

局に来ると、あれこれ、聞かれて面倒なので、藤枝は、ずっと、なつみを匿《かくま》っているホテルにいたのだが、さすがに、そうも言ってられない。

第三会議室に直行した。

中では、ＡＤの島田が、パソコンのサイトをチェックしていた。

「どうよ？」

藤枝が声を掛けると、島田が興奮して報告した。

「すごいっすよ。

驚異的なアクセス数っす。

もう、３回、サーバー飛んでますから」

「レーティングも期待できるな」

「〝ノー問題〟っす。

日本中が注目してますからね」

「ここんとこ、ウチ、裏にやられてたからな？

今回は、社長賞もんだろう？」

「テッパンでしょ。

キテますもんね、これ？」

パソコンの画面には、なつみの携帯に送られて来た写真が、送られて来た順に4枚並んでいる。

こうしてみると、時間が経つごとに、なつみの顔の両脇から伸びた誰かの細く青白い手が、この世のものとは思えない力で彼女の首を少しずつ、右にねじっているのがわかる。

送られて来たのは、その分解写真だ。

なつみが正面を向いた顔。

なつみが右に90度、つまり、真横を向かされた顔。

なつみが右に180度、つまり、後ろを向かされた顔。

なつみが右に270度、つまり、ぐるりと一回転して左を向かされた顔。

首から下は、ずっと、正面を向いている。

「松尾にやらせたんですか？

あいつ、こういうの作らせたら、天才だからなあ」

島田は屈託なく、言った。

「いや、今回は〝やらせ〟は一切なしだ」

藤枝が、得意気に答えた。

「またまた……」

藤枝の独特の冗談かと思って、茶化したが、藤枝は笑ってなかった。

「え……マジっすか？

これって……」

島田は、それ以上、言葉が出なかった。

パソコンを眺めている藤枝が、何かに取り憑《つ》かれたような目をしていた。


深夜。

由美は自分の部屋で、なつみに手紙を書いていた。

こちらから連絡が取れないから、明日、テレビ局に行って本人に渡すつもりだった。

メールにはメールの利便性があるが、直筆の手紙には、言葉には表せない書き手の想いが伝わるような気がする。

相手は、どんな時に、どんな場所で、どんな顔をして、この手紙を書いたのか？

形の悪い野菜が生産者の想いを運ぶように、青いペンで書かれた由美の文字がなつみに今の本当の気持ちを伝えたかった。

2枚目の便箋《びんせん》を書き終えた時、部屋の電話が鳴った。

一瞬、どきっとした。

「携帯に電話するのが、なんだか恐くて……」

なつみだった。

「まだ、ホテルにいるの？」

「明日の本番まで、ここから出ちゃいけないって……」

「ひどい……」

「いいの、どうせ、行くとこないし……。

さっき、実家に電話したら、マスコミやら野次馬ですごい人だって。親がいくら心配してくれたって、どうにかなるもんじゃないしね」

なつみは落ち着いていた。

「霊能者の先生とは会ったの？」

「……ううん」

「だって、相談に乗ってくれるって言ってたじゃない？」

「生放送の番組の中で、初めて会った方が面白いって……」

「面白いって、どういうこと？

視聴率を上げるため？」

由美は、藤枝と名乗ったあのアロハの男の顔を思い浮かべて、許せないと憤った。

「だって、テレビだもん……」

そう言いながら、なつみは弱々しく笑った。

「テレビに出るの、断りなよ。

私、ホテルまで迎えに行く……」

「無理だよ、今さら……」

「でも……」

由美の言葉を遮るように、なつみが言った。

「テレビ、断ってどうするの？

あと、24時間もないんだよ。

他に方法がないじゃない？

私だって……」

なつみが言葉を詰まらせた。

それから、啜《すす》り泣きが聞こえた。

どう慰めればいいのか、わからなかった。

もし、自分が逆の立場だったら、どうするだろう？

得体の知れない恐怖に怯《おび》えながら、やはり、なつみのようにホテルに閉じ籠もっているかもしれない。

ただ、なつみと一つだけ違うのは、霊能者ではなく、山下を信じて待っていることくらいだ。

「なつみ、加賀見病院に行ったことある？」

「……加賀見病院？

……ないと思う」

「水沼毬恵っていう人、知ってる？」

「誰？」

「ごめん、知らないならいいの。

山下さんが、いろいろ、調べてくれてるから。

明日のその時間までに、絶対に、なんとかするから」

由美は、なつみにだけではなく、自分にも言い聞かせるように言った。

「由美……〝死の予告電話〟って、誰かが作り上げた噂だよね？」

「……私にも、わからない」

正直に言ってしまった。

「そうよ、誰かが作り上げた噂よ」と答えればよかったと、由美は悔やんだ。

でも、どこか腑《ふ》に落ちない何かがあるのだ。

「由美と話せてよかった。

ありがとう」

なつみは、無理に明るく、そう言いながら電話を切った。

今日、１００回目くらいだろう。

由美は、また、時計を見た。

6th August

翌、8月6日は、東京に抜けるような青空が広がっていた。
太陽がすべての雲を灼《や》き尽くして、本格的な夏を演出しているようだった。
恐ろしいことなど起こるわけがない、と、由美は思った。
昼過ぎに、山下がレンタカーで迎えに来た。
会社を辞めたので、営業車を使えなくなったのだ。
「テレビ局には、俺1人で行く」
由美が、車の助手席に乗り込むなり、山下が言った。
「今すぐ、携帯を解約するんだ。
これ以上、この件には関わるな」
初めて見る、山下の厳しい表情だった。
「何か、あったんですか？」
由美は、不安になって聞いた。

「君を、巻き込みたくないんだ。1人でいるのが不安なら、しばらく、実家に帰れ」

「実家には……帰りたくない」

山下が、訝《いぶか》し気に由美を見た。

「高校を卒業してから、一度も帰っていません」

「親は？」

「父と母の仲が悪くて……

お互いに憎しみ合っているような人たちでしたから。

……帰りたくないんです」

由美が暗い目をして言った。

人には、それぞれ、事情があるのだ。

そして、誰もが、その事情と折り合いをつけて生きている。

守ってやりたい。

山下には、一瞬、由美が律子にオーバーラップして見えた。

東西テレビは、ものものしい警備態勢が敷かれていた。

警官の姿は見えなかったものの、増員されたガードマンが出入り口をすべて、チェックしている。

当然、山下も由美も止められたが、山下は、あらかじめ、このテレビ局に勤める後輩から手に入れた来客用の通行証でゲートをパスすることができた。

本番まで、まだ、1時間以上はあるというのに、スペシャル番組が放送される第6スタジオは、スタッフやら関係者やらで殺気立っていた。

「なつみは?」

「おそらく、どこかの控え室に隔離されているんだろう」

由美は、近くを通りかかった番組のADらしき女性に声を掛けた。

「小西なつみの友達なんですけど……。

なつみの控え室は、どこですか?」

そのADが警戒したような目で、

「本番前なので、どなたもお通ししないように言われているんですけど……」

と言ったので、

「プロデューサーの藤枝さんに来るように言われたので……」と、少し、困ったふりをした。

「藤枝さんの指示でしたら」

ADは、いきなり、笑顔を取り繕って別の階のなつみの控え室まで案内してくれた。

この番組における藤枝の力は絶大なものらしい。

他の控え室には、○○様とゲストの名前が書かれた貼り紙がしてあるのに、案内されたドアの横には何もなかった。

しかも、この控え室の前には、専属のガードマンが1人立っている。

「小西なつみさんのお友達です」

ADがそう伝えてくれたおかげで、由美はそのドアをノックすることができた。

何回か、ノックしてみたが、応答はなかった。

由美が、（いないんですかね？）という顔でADを振り返ると、

「絶対にいらっしゃいます」と言って、ドアを開けた。

「小西さん、お友達がいらっしゃいましたよ」

ADの肩越しに、部屋の奥に向かって「由美だけど……」と名乗ると、
すっかりやつれたなつみが顔を出した。

「なつみ……」

不安と緊張で一睡もできなかったのだろう。

目の下に隈《くま》ができていた。

たった、2日のことなのに、10歳は老けたような気がする。

「大丈夫？」

由美がそう聞くと、なつみはほっとしたのか、いきなり、由美に抱きついて子供のように声に出して泣き始めた。

ちょうど、その頃、世田谷区役所では、一度、自宅に帰っていた職員たちを呼び戻していた。

テレビで、〝死の予告電話〟のスペシャル番組が放送されるとあって、その臨時対策本部が設置されたのだ。

おそらく、全国の役所が、その対応に追われているはずである。

職員たちは、なぜ、区役所がそんなことに対応しなければいけないのか、と思うのだが、実際に、このスペシャル番組の番宣スポットが流れて以来、区民からの問い合わせが、かなりの数、寄せられているのだから、それに対応しないわけにはいかなかった。

放送が始まったら、さらに、問い合わせは殺到するだろう。

「〝死の予告電話〟は、本当なのか？」

「自分の所にかかって来る可能性はあるのか？」

「その場合は、どうすればいいのか？」

「区としては、どういう対策を取っているのか？」

正直言って、職員たちもどう答えればいいのか、わかっていない。

上からの指示は、「失礼のないように、話を最後まで聞き、鋭意、調査中と答えろ」という曖昧《あいまい》なものだった。

こんな時間に、再度、登庁せざるを得なくなったことに腹を立てている職員の中には、「東西テレビに対して、厳重な抗議をするべきだ」と主張するものが少なくなかった。

〝死の予告電話〟は、かつての口裂け女以来の社会現象になっていた。

そう言えば、あの時も、子供たちが恐がって困っていると、区役所の児童課に親からの問い合わせが殺到したことを、緒方は思い出した。

上司から区役所に応援に行けと言われたわけではなかったが、おそらく、テレビを見た子供たちに何らかの影響が出るだろうと、緒方は自主的にやって来たのだ。

「人騒がせな話ですよね？」

緒方と同じように、自主的に児童課に顔を見せた後輩の宮田宏美《ひろみ》が言った。

「緒方さんは、どう思います？」

「どうって、なんで、みんながこんなに騒いでいるのかわからないわ」

「昨日、来たんでしょう？

〝死の予告電話〟を受けた女子大生の友達……。

何しに来たんですか？」

夜食用にと自宅から持って来たスナック菓子の袋を開け、宮田が言った。

「律子さんのお兄さまと一緒にいらしたの。

彼女の遺品の中にノートを見つけて、律子さんが担当していた親子のことを聞かれたわ」

「それが、何か、〝死の予告電話〟と関係があるんですか？」

「さあ、どうなのかしら……」

緒方はそう答えながら、律子の兄とあの女子大生の真剣な表情を思い出して、嫌な予感がした。

東西テレビの小西なつみの控え室には、本人と由美と山下しかいなかった。
「どうしても、出演するんだね？」
さっき、なつみを紹介されたばかりの山下は、遠慮がちに聞いた。
「どっちにしろ……」
そう答えたなつみのその先の言葉は、由美にも想像がついた。
——どっちにしろ、結果は同じでしょう？——。
「そんなことないよ。
ここを出て……」
由美が説得しようとすると、なつみがいらいらした感じで言った。
「由美も見たでしょう？
あの日、突然、現われた藤枝さんの携帯に私宛てのメールが届いたんだよ。
どこへ逃げても同じだよ。
〝死の予告電話〟は、どこまでも、ずっと、私のことを追いかけて来るのよ」
黙っていた山下が、おだやかな口調で言った。
「時間が足りないんだ。

あと少しだけ、時間を稼げれば、なんとかなりそうなんだ」

「なんとかなりそうって？」

なつみは、絶望の中で、かすかな光を見たような顔をした。

「死んだ陽子ちゃんや健二くんやウチの妹の携帯から、ある同じ場所に電話をかけていることがわかった」

その電話が、みんなの死後の発信であることを伏せて話してくれている山下の配慮に由美は感謝した。

「ある同じ場所？」

「病院だ」

「昨日、由美が『知ってる？』って聞いた病院？」

由美は、黙って頷《うなず》いた。

「そこの救急治療に何度も娘たちを連れて来ていた母親がいる。

水沼毬恵という女性だ」

「この女性が、代理ミュンヒハウゼン症候群だったらしいの。

ほら、大学で習ったでしょう？」

由美ほど真面目に講義を聞いていたわけではなかったが、なつみもその症例のいくつかは記憶にあった。

「水沼毬恵には、2人の娘がいたんだが、その姉の方を病気で死なせてしまった。

それ以来、水沼毬恵は行方がわからない」

「どういうことですか？」

なつみがじれたように聞いた。

「これは、あくまで、俺の推測だが……。

水沼毬恵は、自殺しているんだと思う。

彼女の霊が携帯からターゲットを選んで、危害を加えた後、すぐに、加賀美病院の救急治療に電話をかけているんだ。

心配しながら、看病したかったのかもしれない」

普段なら、その荒唐無稽《むけい》な話になつみは笑っただろう。

しかし、今のなつみには、筋が通った話のように思えた。

「でも、水沼毬恵は、なぜ、娘の菜々子ちゃんではなく、関係のない人たちに危害を加えるんでしょう？」

ずっと、疑問に思っていたことを由美が口にした。

しばらく、腕組みをしていた山下が、はっと、何かに気づいたように言った。

「テレビだ！」

由美もなつみも、山下が言った言葉の意味がわからなかった。

「代理ミュンヒハウゼンというのは、みんなに同情され誉められたいんだったよね？」

由美となつみは、顔を見合わせながら頷いた。

「みんなに、一番注目して貰《もら》えるのは……？」

山下が答えを求めた。

「……テレビ」

同時に二人が答えた。

「水沼毬恵の狙いは、テレビを通じて、自分がいかに献身的でいい母親だったかをアピールすることだ」

「こうやって、騒ぎを大きくして行けば、必ず、テレビが取り上げると思っていたんですね」

由美は、興奮しながら言った。

「君は、すぐに、ここを出た方がいい」

山下にそう言われたなつみは、戸惑いながらも立ち上がった。


世田谷署の刑事部屋では、妹尾が旧式のテレビのスイッチを入れた。

「宮さん、そろそろ、始まりますよ」

本宮は、「くだらねえ」と言いながら、出前の天津丼を頬張った。

マスコミって奴は、放火魔と似ている。

自分でこっそり火をつけて、「火事だぁ！」「大変だぁ！」と騒ぐんだ。

それにおめおめと乗って、集まって来る大衆は大馬鹿野郎だ。

特に、テレビは、野次馬を集めるためには手段を選ばない。

騒ぎが大きくなった分、視聴率って奴で金が貰えるんだから。

今回の〝死の予告電話〟なんてのも、大方、テレビ局の人間が女子高生に金をやって、噂を広めたんだろう。


本宮は、10年前のひとつの事件を思い出していた。

忘れようたって、忘れられない事件だ。

ある小学校で昼休み、教室にランドセルを残したまま、1人の男子児童が忽然《こつぜん》と姿を消した。

担任の男性教師は、学校の中を捜したが見つからないので、何か、急用で勝手に早退したのだろうと思った。

家に電話をして確認してみると、そんな事実はないと言う。

翌日になっても、男子児童の行方はわからなかった。

親と学校の関係者から連絡を受けた警察は、事故と誘拐の両方から捜査を開始した。

報道規制を敷くよりも、先に、あるテレビ局が事件を聞きつけ、「現代の〝神隠し〟消えた小学生の謎」という特集を組んだ。

スクープを抜かれた他のメディアは、〝神隠し〟をキーワードに報道合戦を繰り広げた。

担任の教師までがテレビのインタビューに応じて、関係者から叱責《しっせき》を受けた。

民俗学者、占い師、霊能者、僧侶《そうりょ》、自分も〝神隠し〟にあったことがあるという老人まで、いろいろな人間がしたり顔でコメントした。

中には、アメリカの超能力者を呼んで透視させた局もある。

事件は、思いがけない展開を見せた。

きっかけは、あるアパートに住む主婦からの通報だった。

「夜中に、隣の部屋から子供の泣き声がして眠れない」

近所の交番の巡査が様子を見に行くと、その部屋に住む風俗嬢が首を絞められて殺されていた。

子供の姿はなかったが、そこで採取した指紋と靴の足跡が行方がわからなくなっていた男子児童のものと一致したのだ。

殺された風俗嬢が、誘拐事件に何らかの形で関わっていたのは明白だった。

では、男子児童は、どこへ行ったのか？

警察は、風俗嬢の身辺を洗った。

そこで、浮上して来たのが、小学校に出入りしていた小さな旅行代理店の営業マンだった。

彼女が勤める風俗店の従業員たちへの聞き込みで、この男らしき人物が足繁く通っていたという証言を得たのだ。

まず、風俗嬢殺人事件の重要参考人として呼ばれた男は、あっさりと犯行を認め、やがて、男子児童の誘拐についても、全面的に自供した。

男の自供通り、男子児童は郊外の貯水池に重しをつけられて沈んでいた。

闇金からの脅迫まがいの取り立てに切羽詰まった多重債務者のこの男が、結婚をエサに風俗嬢を仲間に引き込み、身代金目当ての誘拐を目論《もくろ》んだのだ。

凶行に及んだ男が言った。

「殺すつもりはなかった。

テレビが〝神隠し〟だと騒ぐまでは……」

男は、この噂に便乗しようと思ったのである。

無責任に〝神隠し〟と騒いだテレビが男子児童を殺したようなものだ。

本宮が、この事件の直接の担当者だったわけではない。

——当事者だったのだ。

殺された男子児童は、離婚した妻との間に生まれた本宮の一人息子だった。

それ以来、本宮はマスコミを、特にテレビを憎むようになった。

「係長の方から、一応、テレビ局の方に行かなくていいのか？　って言われてましたけど、行かなくていいんですよね？」

テレビの前に陣取った妹尾が言った。

「こんなことで、警察が動きだしたとあっちゃ、奴らの思うツボだ。

『化け物を逮捕するために刑事も来ています』って、カメラ向けられるぞ。おまえが、一生の記念にテレビ出演したいなら、別だけどな」

「勘弁して下さいよ。でも、中央署の連中は何人か詰めてるみたいですよ。表向きは、興奮した野次馬が、局に殺到した場合の警備ということらしいですけど……」

「いい笑いもんだ。いいか、妹尾？　生放送中に、何も起こりゃしねえよ。あの女子大生は、ギャラを貰って、局のハイヤーで帰るだけだ。賭《か》けたっていい。霊だかなんだか知らねえけど、生身の人間の方が、よっぽど恐いさ」

「でも、この間の電車に飛び込んだり、送電線にぶら下がって死んだ彼等みたいに、追い込まれて、自殺するってことはないですか？」

「わかってねえな、おまえも……。生放送の番組で、そんなことができるわけがねえだろ？　奴らに、そんな根性はねえよ。テレビってのは、いつだって、〝ごっこ〟で終わるんだ。

はらはらどきどきの寸止めさ」

そう言いながら、本宮は急に胸やけがして、食べていた天津丼のほとんどを残した。

確かに、本宮の言う通りだと、妹尾は思った。

テレビは、この間の戦争にしたって、真実を見せてはくれなかった。

真実は、いつだって、誰かを傷つける。

大衆は、そんなことを望んではいないのだ。

〝真実っぽいもの〟だけでいい。

肝心な部分を編集で落としてしまうくらいで、ちょうどいい頃合だ。

ましてや、生放送だ。

スポンサーの収入で成り立っているテレビ局が、視聴者を不安にさせるようなショッキングな映像を流すことはないだろう。

自主規制するに違いない。

これから、放送されるスペシャル番組がネタバレしたような気がして、妹尾は急に興味を失った。


「いい加減にしろよ。

生放送10分前だよ。

今さら、出演しないたって、そんな理屈は通らないよ」

東西テレビの控え室前で、アロハを着た藤枝がやくざまがいの口調で叫んでいた。

小西なつみが、由美と山下と一緒に逃げ出そうとしているのをスタッフが見つけて、サブから駆けつけて来たのだ。

「彼女をテレビに出しちゃいけない」

山下が真顔で藤枝に言った。

「あんた、誰？」

「誰だっていいだろう。

水沼毬恵は、テレビを通してアピールしようとしているんだ」

「水沼？　毬恵？

何言ってるんだかわからないよ。

こっちは、小西なつみの出演許諾書も取り付けて、番組の準備して来たんだ。

無理に出演させようとしたわけじゃない。

そうだよね？」

「でも……」

なつみが何か反論しようとした時、

「こいつらを、外に出してくれ！」と藤枝がガードマンに指示した。

数人のガードマンが力ずくで、由美と山下をなつみから引き離した。

「由美！」

「なつみ！」

「あんたたちは、自分たちがやろうとしていることがわかっているのか！」

山下が、ガードマンや番組のスタッフともみ合いながら叫んだ。

シュッ！　シュッ！　シュッ！

喘息《ぜんそく》の吸入器の音が聴こえた。

「山下さん！」

「これは……」

「水沼毬恵が、近くにいる」

由美と山下のやりとりを聞いていた藤枝が笑いながら、自分の頭を指さした。

「おたくたち、いっちゃってるんじゃないの？」

「なつみ、行っちゃだめ！」

「由美！」

スタッフに両脇を抱えられながら、なつみはエレベーターに乗せられた。

もう、どうすればいいのか、なつみにはわからなかった。

傍らで、藤枝が言った。

「なつみちゃん、〝死の予告〟まで、あと1時間44分しかないんだよ。

あんな連中が言っていることなんかに耳を貸しちゃいけない。

頭おかしいよ。

霊能者の先生にお祓《はら》いして貰《もら》えれば助かるんだ。

俺を信じて！」

なつみは、脱力感を覚えていた。

もはや、自分の力ではどうにもならないことを知っていた。

どっちにしろ、結果は同じなんだ。

下降しているエレベーターの重力が、なつみの運命を弄《もてあそ》んでいる見えない力のように思えた。

シュッ！　シュッ！　シュッ！

喘息の吸入器のその音はエレベーターの中でしていたのに、移動するノイズにかき消されて、なつみや藤枝の耳には聞こえていなかった。


ガードマンに阻まれた山下と由美は、１階のロビーで大型スクリーンに見入っていた。

「藤枝ちゃんも、よくやるよね？

やっぱり、夏にはこの手のものが数字取るからねえ」

どこかの芸能プロダクションのマネージャーらしき男が東西テレビの社章をつけた局員に話しかけている。

「報道から待ったがかかったのに、強行突破したからね。

根っからのテレビマンなんだよ、藤枝は……。

苦情も話題性のうちって言う奴だから」

「何か、仕掛けあるの?」

「さあね……。

今はテレビもやらせがうるさいから、煽《あお》るだけ煽って終わりじゃない?」

「でも、22時39分までは視聴者を引っ張れても、何も起きないんだったら、その後、どうするわけ?

じゃあ、これまでの流れを見てみましょうってわけにはいかないでしょ?

そこで、一気にチャンネルを替えられたら、毎分の視聴率、落ちるよ」

「何か、スタジオで変な音が聞こえたとか、変な人影を見たとかで盛り上げるんじゃないの?」

2人のやりとりを聞いていて、由美は腹が立った。

山下も同じ気持ちだろう。

事態を深刻に受けとめているのは、由美と山下だけかもしれない。

それが、自分たちの取り越し苦労であればいいと由美は思った。


番組が始まった。

アバンタイトルに、街頭の女子高生たちのインタビューが流れた。

「〝死の予告電話〟って知ってる?」という質問に対しての答えをコラージュしたものだ。

「知ってる。

今、学校で話題だもん」

「あれって、超ヤバクない？

自分の携帯にかかって来たら、絶対に嫌っ！」

「友達のぉ～友達のぉ～お兄さんのぉ～彼女のぉ～所にぃ～かかって来てぇ～、本当にぃ～死んじゃってぇ～……」

「梅干しを携帯のストラップにつけるといいんだって」

「自分とか家族とか友達にかかって来るのは勘弁って感じだけど、着メロは聴いてみたい」

「本当にかかって来た人がテレビに出るんでしょ？

勇気あるよね？」

他愛《たわい》ないインタビューで、この〝死の予告電話〟がいかに、世間に流布されているかを煽ると、続いて、今日まで放送された番宣スポットのロングバージョンが流された。

――マンションのエレベーターホールでマイクを突きつけられるなつみ。

『〝死の予告電話〟を受けた小西なつみさんでしょう？』

戸惑うなつみの顔。

『困ります』

声を荒らげながらなつみの手を引く由美。

『うちの番組で有名な霊能者の先生を呼んでるんで、除霊しない？』

なつみの足が止まる。

『テレビなんか、やらせに決まってるじゃない！』

なつみの目を覚まさせようと体を揺する由美。

『小西さん、これが〝死の予告電話〟を受けた携帯ですね？』

なつみが手にしている携帯の着メロが鳴る。

なつみ、由美、テレビクルーたちの緊張の表情のカットバック。

液晶画面を覗《のぞ》いたなつみが、声にならない声を洩《も》らして、携帯から手を離す。

床に落ちる携帯。

小西なつみから届いているメール。

携帯を拾って送られて来た写真を開く由美。

顔の両側から伸びた誰かの手が、耳のあたりを摑《つか》み強引に右を向かされているなつみの写真。

『うわっ！』と叫ぶテレビクルー。

『何ができるの？

由美に何ができるの？

あと54時間しかないんだよ？

その間に、由美が何をしてくれるって言うの？』

『なつみ……』

『何もしないで逃げ回るより、今、できることを試してみた方がいいじゃない？』

なつみの毅然《きぜん》とした表情でVTRは終わり、大仰な音楽が流れ、タイトルが起きる。

「緊急特別番組
『心霊携帯スペシャル
〝死の予告電話〟を受けた女子大生の運命の行方』

――悪霊VS霊能者――」

飲料のコマーシャルが流れた。

「やられた」と由美は思った。

エレベーターホールでのやりとりを巧く編集している。

出来事の順番を入れ替えているし、テレビクルーの表情や携帯のアップなどはあの時点では撮れていなかったはずだから、もう一度、現場に行って、撮り直したものだろう。

効果音や音楽が入ると、こんなにも違うものなのか？

何より、悔しかったのは、由美自身が番組に貢献してしまったことだ。

――〝死の予告電話〟がかかって来たなつみを思いやる友達。

しかし、再びかかって来た〝死の予告電話〟によって、対立してしまう2人。

この恐怖は、かかって来た本人にしかわからないものだ。

〝死の予告電話〟は、友情まで切り裂いてしまうのか？——


そんな呼び掛けで終わっている。

「気にすることない。

これが、あいつらのやり口だってことくらい、みんなわかってるさ」

由美を慰めるように、山下がつぶやいた。


スタジオには何かの宗教儀式のようなセットが組まれ、護摩が焚《た》かれていた。

この東西テレビの朝の顔である男性アナウンサーがセンターに立っている。

「みなさん、今晩は。立野誠です。

今、世間を騒がせている〝死の予告電話〟の噂。

今夜は、ここ第6スタジオに、その〝死の予告電話〟を実際に受けてしまった女子大生をお呼びして、それぞれの専門家と一緒に噂を検証したいと思います。

彼女が死を予告された時刻は、今日、8月6日、22時39分。

あと、約1時間34分、まさに、この番組の生放送中にその時刻を迎えます。

もちろん、私たち、番組のスタッフは興味本位でこの噂を取り上げようとしているわけではありません。

番組にも、たくさん、お問い合わせやご意見をいただきました。

『携帯が鳴っても、恐くて取れない』

『子供が〝着信ごっこ〟でいじめられている』

『もし、自分の携帯に自分の携帯番号が表示されたら、どうすればいいのか？』

そんな風に社会に不安を与えているこの噂の正体を暴いて、その終止符を打とうと思います。

さあ、噂は、単なる噂なんでしょうか？

それとも、彼女の身に何かが起きるのでしょうか？

今夜は、テレビをご覧の皆様が、目撃者です」

司会の立野アナはソファーのMC席に移動して、スタジオに来ているゲストコメンテーターたちを紹介した。

心理学者、元警視庁OB、情報操作の専門家、プロファイリングの専門家、危機管理会社の専門家、心霊雑誌の編集長、携帯電話の開発チームの主任、タレントとしても有名な哲学者。

この番組の目玉である霊能者の姿は、まだ、なかった。

もったいぶって、予告時刻の直前に出すのだろう。

「それでは、ご紹介しましょう。噂の〝死の予告電話〟を着信してしまった女子大生、小西なつみさんです」

緊張した表情のなつみが登場した。


「こんなことをして何になるんだ?」

テレビモニターの前で山下が怒鳴った。

「くだらなすぎる」

間髪を入れずに、

「だったら、観るな」と
後ろの方で声が上がった。

「何っ?」

山下が、喧嘩腰《けんかごし》に振り返った。

「視聴者は、観るか? 観ないか?

選択権があるんだ。

強制的に観せてるわけじゃない」

「観せる側の責任はないと言うのか?」

「あんた、新聞屋《ぶんや》さん?

そう、ムキになるなよ。

テレビなんか、誰も真剣に観てやしないって」

興奮した山下が掴みかかろうとしたので、由美が止めた。

ここは、東西テレビのロビーなのだ。

テレビを非難するには、場所が悪い。

それに、今はなつみが出演しているのだ。

「うるせえぞ！

静かにしろ！」

たまりかねた誰かが注意した。


「小西さんは最近、お友達を続けて2人、亡くされたんですよね？」

立野アナが聞いた。

「……はい」

「その2人とも、自分の携帯に自分の携帯番号の着信履歴が残っていたとか……」

「……ええ」

「留守電も残っていたと聞きましたが……」

「……未来の日付で留守電が入っていて、その日のその時刻に……」

「事故に遭ったんですね？」

なつみが黙ったまま頷《うなず》くと、立野アナはカメラ目線で視聴者に向かって補足情報をフォーした。

「驚くべきことは、その留守電には、死ぬ瞬間の彼等自身の声が入っていたことです」

再び、なつみに立野アナが聞いた。

「小西さんの携帯に、自分の携帯からの着信があったのは？」

「……一昨日《おととい》です」

「小西さんには留守電のメッセージの代わりに、写真が送られて来たんですよね？」

なつみは、恐ろしい写真を思い出して首を大きく振りながらいやいやをした。

カメラが、怯《おび》えるなつみの顔をアップで捉《とら》える。

「これが、その写真です」

画面いっぱいに、なつみに送られて来た1枚目の写真が映し出された。

——なつみの顔の両脇から誰かの細く青白い手が伸びている。

ざわめいたのが、スタジオなのか、テレビモニターを観ているロビーなのか、由美にはわからなかった。

「これだけではありません。

その後、3回、送られて来たそれぞれの写真です」

それから、送られて来た順に残りの3枚の写真が映し出された。

なつみの顔の両脇から伸びた誰かの細く青白い手が、この世のものとは思えない力で彼女の首を少しずつ、ねじっている4枚の写真。

スタジオもロビーも水を打ったように静かになった。

第6スタジオのサブコントロール室では、藤枝1人がはしゃいでいた。

「いいねぇ〜！

よし、このまま、CM入れちゃおう。

工藤《くどう》、CM明けで、もう1回、〝死の予告電話〟が22時39分だってことを、立野アナに念押しさせろ！」

卓に座って指示を出しているディレクターの工藤の背後に立ったまま、藤枝はこのお祭りを心底、楽しんでいた。

「綾子《あやこ》、次のコーナーは何分で上げればいいんだ？」

タイムキーパーの佐藤綾子が、

「CM明けまで30秒！」とサブ中に聞こえるような大声で叫んだ後、

「コメンテーターたちのトークを22時10分までに上げれば、霊能者の天道先生の登場を22時15分前後に入れられます」と藤枝に答えた。

「いや、天道先生の登場を21時台から22時台の〝またぎ〟に入れるんだ」

「でも……工藤ちゃん、コメンテーターたちのトーク、20分で収まる？」

綾子が聞いた。

スタジオのハンディカメラマンに、「小西なつみの震えている足元を撮れ！」とインカムで怒鳴っていた工藤が台本をめくりながら、「篠原《しのはら》教授の話、長いからなあ」と頭を掻《か》き毟《むし》った。

「視聴者はそんなおっさんの話を聞くために、テレビを観てるんじゃねえぞ。みんな、なつみに何が起きるか、期待して観てんだ。どうでもいい話なんか、ぶった切って、早いとこ、天道を出せ。ウチの裏番組がプロ野球の結果を伝える前に、なつみの化けもんと天道の対決の前振りを入れるんだよ」

工藤が藤枝に進言した。

「なつみが予告された時間は、39分ですよ。それまで、持ちますかねぇ？天道先生の化けの皮、剝《は》がれませんか？」

「そんなこと知るかぁ！もたもたしてると、工藤、また、旅番組に飛ばすぞ」

「了解」

ふてったように工藤が答えた。

スタジオではゲストのコメンテーターたちの議論が白熱していた。

「これは、ひとつのテロリズムですよ。

国家転覆を狙う左翼系のグループの犯行かもしれない」

元警察OBの園山が言った。

「まあ、情報操作がなされていることは間違いないね。1970年代にソルボンヌ大学のあるチームが、噂がどういう形で広まって行くか？という実験をしたことがあってね。

車の通行量の激しい道で、足元のおぼつかない老婦人がやって来て、渡ろうとするんだが、なかなか渡れないでいる。

それを見た、ある女子大生が親切心で老婦人の手を引いて、道の向こうまで渡らせてあげようとした時、老婦人と繋《つな》いだ手が一瞬ちくっとして気を失うんだな。

まるで、麻酔でも打たれたように。

女子大生がその場に崩れると、老婦人は急にしゃきっとして、黒塗りの高級車が近づいて、2人を乗せて、どこかへ行ってしまうんだ。

その老婦人は高級娼婦《しょうふ》を束ねる女ボスで、結局、この女子大生は中東の方に売られてしまったという話を意図的に流布させたんだが……」

話の長い篠原教授に割り込んで、心霊雑誌の編集長阿部《あべ》が断言した。

「これは、霊ですよ。

人為的なものじゃない」

「だから、そういう不用意な発言が社会的な不安を煽《あお》るわけで……」

最近、急成長した危機管理会社の専門家の戸田が食ってかかった。

みんな、役者だと立野は、話を聞きながら思った。

各人が、自分が演じるべき立場を理解している。

適当なところで喧嘩《けんか》口調になり、適当なところで同調し、適当なところで、また、異議を唱える。

CMの度に、コメンテーターたちは、今日、ここに呼ばれただけの仕事をして帰ろうと自分で用意したメモに目を通している。

必要とあらば、「ここで、席を立って帰ってしまおう」とまで考えているはずだ。

テレビで顔と名前を売れば、本は売れるし、講演会の依頼は殺到することを、みんな、知っているのだ。

あさましい奴らだと思った。

右耳のイヤホンから工藤の声で、「早く、トークを締めろ」と指示されているのだが、立野はそのタイミングを摑《つか》めずにいた。

6回目のCMが終わると、霊能者天道白水が紹介された。

頭を丸めて作務衣《さむえ》を来た肥満体の男だった。

齢《よわい》50を数えた頃だろうか？

腕や首にいくつもの数珠《じゅず》を下げ、紫の扇子を持っている。

ロビーの大型テレビに映った霊能者を初めて見て、世俗を離れ枯れた翁をイメージしていた由美はギャップを感じた。

突き出した脂肪腹が断ち切れない欲を溜《た》め込んでいるように見える。

こんな怪し気な男になつみの運命を託したのかと思うと、由美は無性に腹が立った。

天道にではない。

自分自身に対してだ。

藤枝たちに何を言われようとも、なつみを連れてここから出るべきだった。


なつみの隣に座っている立野アナが聞いた。

「天道先生、小西なつみさんのお話を聞いて、まず、何を思われましたか？」

天道は、太い腕を組み、少し考えてから、答えた。

「私ね、このことをとっくに知っとったの」

なつみは驚いて、天道を見た。

「このことと言いますと？」

「こちらのお嬢さんの不幸」

「不幸というのは、〝死の予告電話〟を着信したということですか？」

「それは、森の中の1本の木に過ぎんでしょう？」

「しかし、小西さんにとっては、かなり、大きなことだと思うんですが……」

立野アナが確認するかのように横を見たので、なつみは黙って頷《うなず》いた。

『木を見て、森を見ず』、言うことね。

大切なのは、全体、つまり、宇宙レベルで見ないと見えないってことなの」

「はぁ……」

「私の弟子たちに聞いてもいいけど、一昨年《おととし》の暮れに、私、高熱出してね、そん時に、お嬢さん、あんたに会《お》うとるんよ。あっちの世界で……。

小《ち》さな小石が並ぶ川のほとりで、あんた、日傘さして泣いてらした」

天道は、遠くを見つめたように目を細めながらつぶやいた。

「お嬢さんのお婆さま、川で溺《おぼ》れて亡くなったでしょう?」

なつみの表情が強《こわ》ばった。

「はい……父方の祖母が洪水の時に……」

「お婆さまのお墓、動かした?」

「一昨年、祖父が亡くなった時に、父が新しいお墓を買って……」

「そん時、お婆さまのお墓、水が溜まっとったでしょ?」

「はい。

家族で掃除しました」

なつみの天道を見る目が変わった。

半信半疑ながら、何かを期待し始めている。

立野は、そのやりとりを聞きながら、(天道が事前に小西なつみについてリサーチして来たな)と思った。

本人ではないにしろ、天道のスタッフがネタになりそうな過去を拾って来たのだ。

それに、お墓というのは、たいてい、水が溜まっているものだと聞いたことがある。

「あんた、お婆さまと何か、約束してたでしょう?」

しばらく、考えていたなつみが、急に何かを思い出したように言った。

「春になったら、山菜を摘みに行こうって……」

「……お婆さま、楽しみにしとったよ」

なつみの目から、みるみるうちに涙が溢《あふ》れて来た。

「アップだ。

小西なつみの顔の毛穴が見えるくらい、寄るんだ」

サブでは、また、藤枝が大声を上げていた。

「天道先生、なかなか、いい仕事してくれるじゃねえか。

視聴率計、今、がーっとうなぎのぼりに上がってるぞ。

どうです、局長?」

藤枝が、近くのテーブルでモニターを観ている吉沢編成局長に声をかけた。

「視聴率と同じくらい抗議電話が殺到してるんだ。後で、うちの責任が問われないようにしてくれよ。〝出演者が勝手にやったこと〟で逃げられるようにな」

吉沢のもの言い方で、ご満悦なことは藤枝にもわかった。

問題になるんじゃないか？　と心配になるくらいのインパクトがないと、テレビなんか、誰も観ないというのを教えてくれたのは、吉沢だ。

「綾子、なつみの親と電話を繋《つな》いでおけ……」

藤枝がタイムキーパーに、そっと、耳打ちした。

もちろん、このことはなつみ本人には言っていない。

驚いたその一瞬の表情を狙いたいからだ。

藤枝は、最後の仕掛けを用意しながら、今日がテレビマン人生最良の日になることを確信していた。


立野アナがなつみに真っ白なハンカチを渡した。

昨日、立野が妻に用意させたものだ。

アナウンサーは人気商売だ。

ほんのちょっとした言動が、視聴者の自分に対するイメージを左右する。

真っ白という色を選んだのも、このタイミングで渡したのも、好感度をアップさせるための計算だった。

あと2年、朝のワイドショーで主婦層を取り込んだら局を辞め、選挙に出馬するつもりだ。

日本では、政策より知名度が票を集める。

今日のこの番組も、そのために出ているようなものだ。

そういう意味では、ここに集まった下衆《げす》なコメンテーターたちと同じ穴のむじなだ。

もう少しで、この茶番劇に笑い出してしまいそうになった。

立野アナは、真面目な顔を作って聞いた。

「これは、霊のしわざと考えてよろしいんでしょうか？」

「まあ、あんたたちにわかりやすく言うと、赤蛇の霊ね」

「赤蛇？」

「赤蛇はね、お嬢さんの化身。

運命的には、お婆さまとこのお嬢さんが川で溺れることになってたんやろね。

お婆さまが赤蛇にお願いして、孫の身代わりになって貰《もら》ったわけ……。

有り難いこっちゃ」

扇子を広げながら、情感たっぷりに話す天道を見て、立野は（この男は精神異常者か、希代の詐欺師だ）と思った。

そんな心のつぶやきを聞いていたかのように、天道が立野アナをジロリと睨《にら》んで言った。

「人は、それぞれ、過去に因縁の木を植えてるっていうことね」

天道が曖昧《あいまい》な表現で煙《けむ》に巻こうとするので、立野アナは次の質問をした。

「先生、赤蛇の霊がどうして携帯電話に取り憑《つ》いたんでしょう？」

突然、天道がなつみの顔を覗《のぞ》き込んで言った。

「最近、あんた、何か、せんかった？

罰《ばち》が当たりそうなこと……」

なつみは、一瞬、健二のことを思い浮かべた。

陽子の彼氏だった健二を取ったこと？

でも、そんなことくらい、誰でもしてる。

なつみは、思い当たらないふりをして、首を横に振った。

「赤蛇が、あんたを懲らしめようとしとるんやないかな」

天道の顔が、なつみの鼻に触れるくらい近づいて言った。

つんとする口臭がした。

「霊っちゅうのは、電磁波にとっても似とるんよ。

空中に浮かぶ想念のエネルギーでね、
それを携帯電話がキャッチした、と私は見とるのよ」

スタジオのフロアディレクターが、『除霊へ』とペンで書かれたスケッチブックを天道に見せた。

　セットに組み込まれたデジタル時計が22時24分を表示していた。

　残り15分。

「天道先生！

　ズバリ、22時39分、小西なつみさんを守っていただけますか？」

　なつみが不安気な表情で、天道を見つめる。

　スタジオ中、いや、日本中が天道の次の言葉に注目した。

「そのために、私、ここに来たんだから。

　まあ、話してみましょう、赤蛇と……」

　緊張感が頂点に達した。

「では、一旦《いったん》、コマーシャルです」

　なつみと天道の二人の顔に『90秒後、悪霊VS霊能者、世紀の対決』のテロップがサイドスーパーされた。


　モニターからは、生命保険のCMが流れている。

「ここからは、CM入れないで行くぞ。

　なつみの親とは電話繋がってるな？」

　藤枝が、確認すると、残り時間を計算している綾子が手を上げて答えた。

「工藤、なつみの母親に川で溺れたばあさんの話をして貰え。多少、事実と違っても、話を合わせるように釘《くぎ》を刺しとくんだ」

役者は揃った。

いよいよ、メインイベントだ。

藤枝は、今までにない高揚感を覚えていた。

「It's a showtime!」

映画『All that jazz』のロイ・シャイダーを真似て、藤枝が吠《ほ》えた。


「山下さん……。

〝死の予告電話〟って、なつみのお婆さんの……？」

まわりに気を遣いながら、由美が半信半疑で聞いた。

「ありえないさ。

そんなことでは、陽子ちゃんや健二くんや律子が死んだ説明がつかない」

「あの霊能者が、それぞれに、昔の因縁があるって……」

「だったら、携帯にメモリーされている電話番号の人間を狙う意味がないだろう。

被害者は、携帯でリンクされているんだ。

水沼毬恵を中心に……」

「じゃあ、除霊は？」

「無駄だ。水沼毬恵の霊がこの世に、何に恨みを持って、何に未練を残しているのかがわからないんだから。その声を聞かない限り、除霊なんてありえない」

本当は、由美にもわかっていた。

これが、ショーであることを。

それでも、由美は1％の奇跡を信じたかった。


スタジオの照明が落ちて、床に敷き詰められた畳の上に座ったなつみにサスが当たっている。

なんとも、はかなげな感じを上手に演出していた。

「ここで、小西なつみさんのお母さまと電話が繋がっています」

立野アナは、自分が一番気に入っている眉《まゆ》に皺《しわ》を寄せた顔で言った。

同じように子を持つ親として、心中お察ししますというような偽善的な苦悩の表情。

なつみは、「何で？」という表情で立野アナを見た。

こんな話は聞いていない。

藤枝に抗議しようと思ったら、母親の育子が呼び掛けて来た。

「なっちゃん、大丈夫？」

「お母さん……」

「あんなの、絶対にただの噂だから……」

「うん……」

「天道先生におまかせしなさい」

「……お母さん……

お婆ちゃん、川で溺《おぼ》れて死んだんだよね？」

「そうよ。

村では、赤蛇が出ると、洪水になるって言い伝えがあって……」

スタジオが一瞬、どよめいた。

天道は、何事もなかったように頷《うなず》いている。

「お父さんと一緒に、観てるから。

なつみ、心配しないで」

番組のスタッフにレクチャーされたのだろうと、立野は思った。

天道の話に合わせないと、除霊を本気でやってくれないと。

「お母さまもテレビの前でお祈り下さい」

そう言って、電話を締めると、立野アナは天道に向かって言った。

「それでは、先生、お時間です。

除霊の方、よろしくお願いいたします」

なつみも、深々と頭を下げた。

さっきの話で、天道を信用したのだろう。

デジタル時計は、22時34分を表示している。

天道は、おもむろに、なつみに小声で何かを話しかけてから、護摩が焚《た》かれた炎に塩のようなものを撒《ま》いた。

お清めなのだろうか？

それから、天道はなつみの頭の上に右手を翳《かざ》して、呪文《じゅもん》のようなものを唱え始めた。

静まり返ったスタジオに、護摩木が爆《は》ぜる音だけが響く。


「22時39分のテロップ入れまで、4分30秒前……20秒前、……10秒前……4分前……」

スタジオからは隔絶されたサブで、タイムキーパーの綾子がカウントダウンし始めた。

「天道のこの呪文だか読経は、いつまで続くんだ？」

「22時40分30秒までの予定です」

ディレクターの工藤が答えた。

「1分カットさせろ！

39分になって、何も起きないスタジオで天道の長い呪文なんか続いていたら、チャンネル替えられるぞ。

39分が、何事もなく過ぎたところで、もう一度、なつみの母親を電話で繋《つな》ぐんだ。ＡＤに言って、母親を泣かせろ。父親も引っ張りだすんだ。

綾子、『死からの生還』のテロップは用意してあるな？」

「3分40秒前……3分30秒前……3分20秒前……」

インカムとサブの両方に向かって残り時間を叫びながら、綾子はモニターのひとつを指さして、すでに、スーパー・イン・ポーズできるようになっているテロップを見せた。

「その後は、なつみ、天道、ゲストのトークで引っ張るぞ。

毎分の視聴率を落とすな。

まだ、何か、起こりそうだと期待させろ。

フロアにいるスタッフの誰かに、何か見たって騒がせろ」

藤枝は、自分の指示に酔っていた。

自分が、この狂騒曲のタクトを振るコンダクターなのだ。

後は、観客から盛大な拍手と歓声で迎えられるだけだと、藤枝は満面の笑みを浮かべた。

立野アナの脇のデジタル時計が22時37分を表示した時だった。

スタジオのどこかで着メロが鳴った。

一瞬、ゲストかスタッフの誰かが電源を切り忘れた携帯が鳴ったのかと、立野は思った。

あたりを見回していると、なつみの悲鳴が聞こえた。
なつみのすぐ隣で、携帯が鳴っていた。
ついさっきまで、そんな携帯はそこになかった。
工藤のあざとい演出なのか？
いや、天道の除霊が始まってから、2人のそばに近づいた者はいない。
それは、立野だけはなく、ここにいる人間も、視聴者も見ていたはずだ。
天道か？
天道の一挙手一投足は、カメラが捉《とら》えていた。
なつみも同じだ。
立野には、今、鳴っている携帯がどこかから降って湧いたように思えた。

なつみは、傍らで鳴っている携帯を信じられないという目で見ていた。
見覚えのあるストラップ。
人気ロックグループの……。
この携帯は……なつみのものだ。
携帯電話のショップで解約し、回収してもらったあの携帯。
なぜ、こんなところに？
なつみには、もう、何がなんだかわからなかった。

「あの着メロ！」

由美が大声を上げた。

「〝死の予告電話〟がかかって来た時の着メロです！　それに、あの携帯は解約して回収してもらった、なつみの携帯です」

山下は腕時計を見ながら言った。

「1分前だ。このままじゃ、危険だ」

山下と由美は、エレベーターに向かって走り出した。


着メロは鳴り止んだが、なつみはその携帯に手を伸ばすことができなかった。

なつみの恐怖で見開いた目だけがその携帯を捉えていた。

突然、留守電が作動したのか、携帯から女の声がした。

ノイズで途切れ途切れになりながら、女が低い声で何か言っていた。

その言葉は、不明瞭《ふめいりよう》で聞き取れなかったが、最後の部分だけははっきりとわかった。

——女は笑っていた。

異変に気づいた天道が、首に掛けていた数珠《じゆず》を手に取り、なつみに向かって振りかざした。

呪文を唱える声に力が入った。
シュッ！　シュッ！　シュッ！
なつみはすぐ近くで、妙な音を聞いた。
シュッ！　シュッ！　シュッ！
何の音？
正座している足の下がもぞもぞした。
畳に目を落とすと、自分の両足が長い髪の上に座っていた。
まるで、畳の下に誰かの頭部があるように……。
「きゃあああああ……」
なつみの悲鳴がスタジオ中に響いた。
天道の脳にすごい勢いでアドレナリンが分泌された。
ここが、今日の最大の見せ場だ。
そこに、あたかも、悪霊がいるかのごとく、天道は白目を剝《む》きながら吠《ほ》えた。
「赤蛇！
この世に、何の未練を残す？
愚か者め！
帰れ！　帰れ！　帰れ！」
次の瞬間、巨漢の天道が宙を舞った。

まるで、見えない力によって、投げ飛ばされたように……。

護摩壇にぶつかった拍子に、天道の作務衣《さむえ》に護摩の火が移った。

「助けてくれぇ〜！」

情けない声で、そう叫びながら両手で火を叩《はた》いて消そうとしている天道は、もはや、悪霊と対決する霊能者ではなく、詐欺に失敗した薄汚いペテン師だった。

作務衣の火はさらに一気に燃え広がり、

「うわぁ〜」

天道は床の上を転がってじたばたしている。

まるで、民衆を欺いた者が火あぶりの刑に処されたように……。

それまで、藤枝の〝やらせ〟だと思っていたスタッフやゲストも、演出ではないことに気づき、騒然とした。

「消火器！」

「水！」

「救急車！」

スタッフの怒号が飛び交う。

なつみは、自分の背後に誰かが立つ気配を感じた。

「CM〜！」

工藤が綾子に怒鳴った。

それより、大きな声で藤枝が怒鳴った。

「まだだ！」

嘘だろ？　という表情で、工藤と綾子が振り返る。

藤枝は、真剣だった。

「藤枝！

これは、事故だぞ！」

吉沢が身を乗り出して怒鳴ると、
藤枝は冷静に言った。

「ロケ中に目の前で飛行機が落ちたとします。

カメラは、その事故現場に走りませんか？

俺たちには、伝える義務があるんです」

藤枝は、サブを飛び出し、スタジオに続くキャットウォークを下りて行った。

「なつみ〜！」

スタジオの混乱に乗じて、由美と山下が6スタの中に入った。

天道の体には消火器の泡がかけられ、スタッフたちによって運び出されようとしていた。

なつみは何かに怯《おび》えながら、畳の上を後退《あとずさ》りしている。

「……なつみ」

由美には何も見えない。

「やめてぇ～いやっ～」

足で、何かを追い払おうと何度も蹴《け》っていた。

低くねっとりとした女の呻《うめ》き声が聞こえた。

「……にぃ～……るぅ～……」

なつみは耳を両手で塞《ふさ》ぎそこから逃げようとするが、誰かに頭を摑《つか》まれたかのように不自然に顔を向けたまま、動けなかった。

出演者用のテレビモニターに映っているその光景は、なつみの携帯に送られて来た1番目の写真と同じだった。

「……なんだぁ？」

なつみを映していた2カメのカメラマンが独り言のようにつぶやいた。

2カメが捉えた画《え》のなつみの背後に、誰かの細く青白い手が見えている。

山下が助けに行こうとするが、スタッフに制止される。

「もう、充分だろう？

まだ、放送を続けるつもりか！」

羽交い締めにされた山下が怒鳴った。

その間に、由美がなつみに駆け寄った。

「なつみ！」

由美がなつみの腕を摑むと、激しい勢いで振り払われた。

なつみの意志ではないことは、その表情でわかった。

なつみの頭の両脇から細く青白い2本の手が伸びている。

「……にぃ〜……るぅ〜……」

また、女の声が聞こえた。

2本の手がなつみの頭を右回りにゆっくりとねじって行く。

「だめぇ〜！」

そう言いながら、由美がなつみに近づこうとしたが、さっきの天道のように投げ飛ばされた。

「ぐうううう……」

90度真横にねじられたなつみの顔が苦痛で歪《ゆが》んでいる。

首を支える筋肉の何本かが切れたのだろう。

そばにあったなつみの携帯が光り始めた。

どこかに発信している。

床に倒れたままの由美は金縛りにあったように動けなかった。

2本の手はさらに力を加える。

なつみの口は泡を吹き、眼球は飛び出そうとしていた。

ばきっ。

骨が折れる鈍い音がして、正面を向いているはずのなつみの顔が180度後ろにねじられた。

首の皮膚が破れ、血が噴き出した。

スタジオのあちこちから、悲鳴が上がる。

嘔吐《おうと》している者もいた。

なつみの顔が270度ねじられ、左を向いた。人間の構造上、ありえない向きをしていた。

それでも、2本の手は、まだ、力を緩めなかった。

2本の手はそのまま、なつみの顔を360度一回転させると、胴体から首を引き千切った。

ころころころころ……。

床を転がったなつみの頭部が、由美の目の前に転がった。

「ぎゃああああああ」

由美は絶叫した。

目を見開いたままのなつみの血だらけの生首。

その口から、何かが零《こぼ》れ落ちた。

——毒々しい、赤い飴玉《あめだま》だった。

スタジオのデジタル時計は22時39分を表示していた。

生放送は中断され、お断わりのテロップを入れてから、緊急事態用の「海亀の産卵のドキュメンタリー」が流された。

東西テレビは、警察によって完全に封鎖され、局舎内に入ることも局舎から外に出ることも禁止された。

玄関前には、騒ぎを聞きつけた他局のテレビクルーが報道合戦を繰り広げていた。

テレビ界というのは、自分の所で不祥事があっても余程のことがない限り、ニュース番組で取り上げないが、よその局で不祥事があった時は大々的に取り上げるのだ。

特に今回の〝死の予告電話〟は東西テレビの独占スクープだったので、指をくわえて見ているしかなかった他局があっという間に集結したのだろう。

すでに、なつみの遺体は運び出され、司法解剖に回される手筈《てはず》になっていた。

近くの病院に搬送された天道は全身に大火傷《おおやけど》を負っていたものの一命はとりとめた。

番組関係者は、それぞれ、局の会議室に呼ばれ、中央警察署の刑事から取り調べを受けている。

第6スタジオのサブでは、事故のあった生放送の録画テープを再生しながら検証していた。

モニターには、天道の作務衣《さむえ》に火が移るシーンが映し出されていた。

「霊能者なら、火を消すくらい何とでもなるだろうによ」

本宮が、煙草の煙を吐き出しながら言った。

「みやさん！」

妹尾がまわりに気を遣って、注意した。

この東西テレビは中央署の管轄で、世田谷署の本宮と妹尾は、言わば、外様《とざま》なのだ。一連の事件との関連を調べるために、同席させて貰《もら》っているのに、本宮には遠慮というものがなかった。

「〝やらせ〟なんかやるから、こういうことになるんだ。自業自得だよ」

「いえ、私どもは……」

編成局長の吉沢が、額に落ちる汗を背広の袖《そで》で拭《ぬぐ》いながら否定した。

本宮のテレビに対する恨みの言葉は止まらなかった。

「まあ、こういうことにはなったけど、視聴率は取れただろうからよかったじゃねえか？」

「本宮！……」

本宮とは旧知の中央署の刑事が、たまりかねて戒めた。

「すいません、今の所、もう一度見せていただけますか？」

山下だった。

小西なつみの知り合いということで、特別に立ち会わせて貰ったのだ。

「どういうことだね？」

中央署の古参の刑事が聞いた。

それには答えずに、山下はオペレーターに指示した。

「彼女の携帯から、何か聞こえたところです」

——「……にぃ〜……るぅ〜……」

ノイズの中から聞こえたのは、何か、背筋がぞくっとくるような声だった。

「このノイズ、消せませんか？」

オペレーターが音声の責任者に聞いた。

「どう？」

「多少はね」

モニターの映像が巻き戻って、携帯電話のアップから再生された。

——「びょういんにぃ……つれてってあげるぅ〜……」

低く、ねっとりとからみつくような女の声だった。

サブが静まり返った。

「……水沼毬恵だ」

「誰なんだ、それは？」

刑事の1人が聞いた。

山下は、サブのドアを開けながら言った。

「重要参考人ですよ」


「葬儀屋！」

サブの前の廊下を本宮が追い掛けて来た。

「俺は信じねえぞ。化け物なんかのせいにされてたまるか！」

山下が振り返って言った。

「じゃあ、どこかに隠れている犯人とやらをしょっぴいて下さいよ」

「何か、仕掛けがあるんだ」

「……これは、〝神隠し〟とは違います」

本宮の顔色が変わった。

「どうして、それを……」

「調べました。あんたが、なんで、頑《かたく》なに否定するのか知りたくてね」

「貴様……」

一番、触れられたくない過去に触れられて、本宮は山下に殴りかかろうとした。

「息子さんのことは残念です。

でも、息子さんも妹の律子も、理不尽な出来事による被害者という点では同じです」

本宮が握り締めた拳《こぶし》が、力をなくした。

「俺もマスコミは嫌いです。

奴らは、いつも、他人事《ひとごと》ですからね」

本宮が山下の目を見据えて聞いた。

「……本当に信じてるのか？」

「……残念ながら」

「警察は動かんぞ」

「なつみの携帯にメモリーされている番号を全部、削除して下さい」

「あれは、証拠品だ。

今頃は、中央署の証拠品保管庫に送られているだろう」

腕時計を見ると、もうすぐ、午前1時になろうとしていた。

「……〝死の予告電話〟は、死んだ人間の携帯にメモリーされた番号に……」

そう言いかけると、山下はふいに何かを思い出したように、その場を走り去って行った。

1人残された本宮は、なぜか、証拠湮滅《いんめつ》の片棒を担いでやろうと思った。

誰もいなくなったロビーのベンチに、放心状態の由美が腰を下ろしていた。

山下は、走って来たせいで、荒い息を吐きながら言った。

「携帯は？」

由美は何も答えずに、虚《うつ》ろな目でどこか一点を見つめている。

「どこにあるんだ？」

肩を揺さぶってみたが、魂が抜けてしまったかのように反応がなかった。

山下は、近くにおいてあった由美のバッグをひっくり返して、床にぶちまけた。

散らばった所持品の中に由美の携帯を見つけると、山下は思い切り、壁に叩《たた》きつけた。

がちゃ〜ん。

大きな音がして、ガードマンが飛んで来た。

「何でもない」

山下は、そう説明しながら、また、携帯を壁に叩きつけた。

がちゃ〜ん。

あんなことがあった後では、山下がしていることは気が狂っているようにしか見えなかった。

遠巻きに見ていたガードマンが、「やめなさい」と言うと、山下はもう一度、壁に携帯を叩きつけて応《こた》えた。

がちゃ〜ん。

床に転がった携帯から、ロビーに反響するように着メロが鳴った。

あの暗く、不気味なメロディ……。

それが、〝死の予告電話〟であることを由美も山下も知っていた。
ひびの入った液晶画面には——『着信アリ』の文字。
受付のカウンターの壁にある時計は、午前1時を指していた。
由美が床の上の携帯を凝視したまま、微動だにしなかった。
まるで、蛇に見入られた蛙のように……。
山下は、力なくその携帯を拾い上げ、留守電を聞いた。
「1番目のメッセージです。
7日　20時26分」
音声案内に続いて、声が聞こえて来た。
——『……どうして？』
明らかに、由美の声だった。
疑う余地はない。
沈痛な面持ちで、山下は目を閉じた。
肺の中の空気が失望のため息となって漏れて行くのがわかった。
死の連鎖は、どこまで続くと言うのだ？
俯《うつむ》いていた由美が、肩を震わせている。
ふふふふふ……。
由美は、笑っていた。

恐怖のあまり顔をひきつらせながら不自然に笑っていた。

「次……私だ……

私の所に来るんだ……」

狂気を孕《はら》んだ目をしていた。

山下にはかける言葉が思い浮かばなかった。

ぶつけようのない怒りがこみあげて、山下は手に持っていた由美の携帯を力の限り、遠くへ投げた。


由美のアパートはこざっぱりとしていた。

小さな台所は使いやすいようにきちんと整理され、自炊している様子が見える。

勝手にコーヒーを淹《い》れながら、山下は部屋の片隅で膝《ひざ》を抱えている由美を見た。

ショックが大きすぎる。

山下は、由美の前にカップを置きながら言った。

「少し、休んだ方がいい」

由美は無反応だった。

「しっかりしろ！

まだ、時間はあるんだ」

山下は強い口調で言った。

由美が顔を上げた。

「明日、海へ行かない？」

山下には、由美の言葉の意味がわからなかった。

「……もう、逃げられない。

何をやっても、無駄だよ。

……明日の夜には、私も……なつみみたいに……」

「絶対に、そんな目には遭わせない」

「……あと、17時間で何ができるの？

どうせなら、それまで、楽しく……」

「諦《あきら》めるな！

水沼毬恵の行方さえわかれば……」

「私ね、子供の頃から嫌なことがあるといつも、近くにある海に行ってたの……」

そう言いながら、由美は無意識のうちに肘《ひじ》を押さえた。

その動作にピンと来た山下が、由美の長袖《ながそで》のシャツをめくった。

煙草の火を押しつけられたような、無数の火傷《やけど》の跡。

「親に……やられたのか？」

由美は、応えずにシャツの袖を下ろした。

「母親か？」

由美が山下の目を見た。

「……親父さんは？

止めなかったのか？」

聞こえないくらい、小さな声で由美が言った。

「ほとんど、家にいなかったから。

おばあちゃんが、いつも、私のことを守ってくれたけど……」

由美は10年以上も前の夏の日のことを思い出していた。


暑い夏の夕方だった。

由美が学校のプール教室から帰ると、母親が玄関で煙草を吸いながら待っていた。

由美は緊張した。

煙草を吸っている時の母親は、ささいなことで折檻《せっかん》し、その煙草の火を押しつけるからだ。

しかし、その日の母親は別人のように機嫌がよく、

「おばあちゃん、呼んで来て」と、微笑みながら由美に言った。

おばあちゃんは味方だ。

おばあちゃんの部屋へ行けば、助けて貰《もら》える。

由美は、離れのおばあちゃんの部屋に行った。

「おばあちゃん！」
何度も声をかけてみたけど、返事がなかった。
障子戸を開けようとしてみても、何かが引っ掛かっているらしく開かなかった。
ちょうど、由美の目の高さに小さな穴が空いていた。
顔を近づけて中を覗《のぞ》こうと思ったが、なぜか、由美は躊躇《ちゅうちょ》した。
理由はわからない。
障子戸の穴の向こうに、見てはいけない恐ろしいものがあるような気がしたのだ。
でも、おばあちゃんを呼ばなかったら、母親に叱られるだろう。
あの煙草の火を押しつけられるかもしれない。
やっぱり、覗こうと思って顔を穴に近づけてみたけど、直前で腰が引けた。
外に逃げようと思って振り返ると、煙草をくわえた母親が笑いながら立っていた。
「おばあちゃん、いないみたい」
由美が怯《おび》えながらそう言うと、
「そんなことないよ。
覗いてごらん」と、障子戸の穴を指さした。
そして、母親は笑顔のまま、由美の頭を摑《つか》むと強引にその穴に押しつけた。
由美は、目をつむった。
「目を開けるんだよ」

母親が恐い声で言った。

それでも、目をつむっていると、

「ちゃんと、中を覗くんだ」と、母親が由美の肘に煙草を押しつけた。

由美は泣きながら、目を開けた。

穴の向こうには、白い足が見えた。

視線を上げると、おばあちゃんが梁《はり》から首を吊《つ》っていた。

「……障子戸の穴の向こうに見えた光景が、ずっと目に焼き付いたまま、どうしても忘れられなくて……」

苦しそうに顔を伏せた由美を、山下が両手で包み込むように抱き締めた。

「……つらかったな」

由美の心を頑《かたく》なに閉ざしていた厚い壁のようなものが瓦解《がかい》した。

堰《せ》き止められていた過去の痛みは涙となって、由美の目からぼろぼろと零《こぼ》れ落ちた。

由美の涙が、山下の肩に吸い込まれて行く。

山下は、腕に力を込め、しっかりと由美を抱いた。

「山下さん、私……」

「……さびれた漁村で育った」

山下が言った。

「両親が交通事故で死んで、律子と2人、伯父貴《おじき》の所に預けられた。いい思い出なんか、何もないが、海だけは自慢できる」

「……山下さん？」

「海へ行こう」

「えっ？」

「行きたいんだろ？　連れて行くよ。……明後日《あさって》な」

由美は泣きながら微笑み、そして、大きく頷いた。

7th August

翌朝、藤枝は、まだ、東西テレビの局舎の中にいた。

朝が遅い制作部の社員は、まだ、誰も来ていなかった。

制作部の自分のデスクで、膨大な量の始末書を書いていた。

警察宛て、スポンサー宛て、制作局長宛て、編成局長宛て、営業局長宛て……。放送が中断された後、警察やら局の上層部やらの事情聴取で、こってり絞られたので、藤枝は一睡もしていない。

いや、たとえ、今、ベッドの中に入ったとしても、強力な睡眠薬でもなければ、すぐには寝つけないだろう。

精神が、まだ、興奮状態にあるのだ。

大変なことをしてしまった。

死者1名、大火傷1名は、生放送中の事故としては、例がないはずだ。

ましてや、1人の人間が死ぬ瞬間を生放送で捉《とら》えた番組は初めてだろう。

藤枝は、不思議な高揚感に酔っていた。

警察や局の上層部の前では殊勝にしていた藤枝だったが、本当の所は、少しも後悔していなかった。

テレビ史上に名を残したのだ。

呪いをかけられた人間が予告通り殺された瞬間を、生放送で報道したプロデューサーとして。

今まで、藤枝を〝やらせ番組〟のプロデューサーと蔑《さげす》んだ奴らに、一矢報いた気がした。

もちろん、これで、自分は制作から、局のどこか、閑職へ追いやられるだろう。

それが、組織というものだ。

2度と、制作部に復帰することはない。

それは、生え抜きのテレビマンにとっては、死と同じ意味を持っていた。
藤枝は、調査部に内線電話をかけた。
「昨日の特番の視聴率、いくつだった？」
受話器を手に藤枝は、ガッツポーズを取った。
記録的な数字を取っていた。
やっぱり、視聴者は、他人の不幸が大好きなんだ。
藤枝は、近くの窓を開けた。
最高に気持ちのいい風が入って来た。
「ざまあみろ」
誰に対して言った言葉なのか、自分でもわからなかった。
藤枝は、その窓の桟に足を掛けると、躊躇することなく身を投げた。

山下の運転するレンタカーが、都営住宅の前で止まった。
「水沼毬恵と娘たちが住んでいた家だ。
本宮さんが手配して、鍵《かぎ》を借りてくれた」
「あの刑事さんが？」
なぜ、本宮は、急に、山下に協力的になったのだろう。
なつみが死んで、これが、普通の事件ではないことがわかったからだろうか？

「常識では考えられないことが起きていることに理解を示してくれたということですか？」

「それは、どうかな。

彼等は法律の枠組みの中でしか動けないからね。

警察は催眠術の関係者を当たっているそうだ。

被害者たちがあんな行動を取ったのは、誰かに催眠術を掛けられていたからだと思っているらしい」

「確かに、精神科医の催眠療法は効果的だけど、催眠術にかけても、本人が納得できないことはその通り行動しないの。

特に、自分の命が危険に晒《さら》されるようなことには……」

「警察の面子《メンツ》が懸かってる。

すべての事件は人為的な何かとして結論づけたいのさ。

昨日のようなことも信じていないわけじゃない。

……信じたくないだけなんだ」

玄関の郵便受けがＤＭなどの郵便物で溢《あふ》れていた。

やはり、毬恵は、ここには帰って来ていなかったらしい。

山下がその中のひとつに目を留めた。

携帯電話会社からの通知書だ。

――『料金未納のため、水沼毬恵様の携帯電話の使用を差し止めさせていただきます』

「日付は、3月の末日になっている」

「だったら、何で、留守電になっていたの？

あの電話はどこへ繋《つな》がっているの？」

「部屋の中を調べれば、何か、手がかりがあるかもしれない」

毬恵の部屋は、薄暗く、長い間、窓を締め切っていたせいで黴臭《かびくさ》い空気が澱《よど》んでいた。

山下がカーテンを寄せ、窓を開けた。

質素な生活雑貨が雑然としていた。

夜逃げしたと言うより、ある日、突然、姿を消したという感じだった。

山下が冷蔵庫の扉を開けると、中から猛烈な悪臭がした。

真っ黒な固まりは、小さな蝿が腐敗した何かに群がっているものだった。

電気も止められているのだろう。

鏡台の上に位牌《いはい》があった。

美々子のものに違いない。

その隣に置かれた灰皿に、線香の燃えかすが残されている。

遺影はなく、その代わりに由美は、床に散らばっている、写真の断片をいくつか見つけた。

1枚の写真をばらばらに千切ったものだ。

由美は、そのひとつひとつを集め、テーブルの上にジグソーパズルのように並べた。

水沼毬恵と娘たちのスナップ写真らしい。

——写真の中央に毬恵らしき髪の長い小柄な女性。

左側に小学校の高学年くらいの女の子。

おそらく、美々子だろう。

2人とも、まだ、顔のパーツが見つかっていなかった。

右側に、幼稚園児くらいの女の子。

おそらく、菜々子だろう。

菜々子の顔のパーツは見つかったのだが、目の部分だけがくりぬかれてあった。

シュッ！　シュッ！　シュッ！

ふいに、あの音がした。

はっとして、由美が振り返ると、山下が喘息《ぜんそく》用の吸入器をいじっていた。

「美々子のだ」

小学校の頃、授業中急に喘息の発作を起こした子を見たことがある。

まるで、首を絞められているかのように気管が細くなり、ぜーぜーと苦しそうな息をついていた。

喘息で死んだ美々子は、相当、苦しんで、呼吸困難の末、命を落としただろうと、由美は思った。

足元に千切れた写真のひとつを見つけた。

毬恵の顔だ。

テーブルに並べたスナップ写真の顔のない毬恵に、それをはめこむと、その顔が不自然なほど明るく笑っていることに気づいた。

その時、由美は誰かに見られている気配を感じた。

山下ではない。

2人以外の誰かがこの部屋にいる。

ふと、戸棚を見ると、引き戸が少し開き、その奥から人間の目がこちらを覗《のぞ》いていた。

「きゃあ〜」

由美が思わず声を上げた。

「どうした？」

山下が由美を抱いて、落ち着かせた。

由美は戸棚を指さしながら、震えている。

すでに、引き戸の奥から覗いていた目は消え、代わりにレンズのようなものが覗いていた。

山下が、引き戸を開けると、そこには、家庭用のビデオカメラがあった。

「これで、何かを盗撮しようとしていたんだ」

「何のために？」

「毬恵が代理ミュンヒハウゼンではないか、と疑った誰かが、こっそり、仕掛けたんだろう」

「誰が？」

「律子なら、子供たちを助けるためにそれくらいのことをしたかもしれない」

山下は、そう言いながら、ビデオカメラのテープを確認したが、中には何も入っていなかった。

「テープが入っていれば、何かわかったんだが……」

「山下さん、そのシール……」

ビデオカメラの、山下からは見えにくい位置にシールが貼られていた。

「それって、レンタルビデオショップのシールですよ」

「そうか、これは、借りたものなのか……」


近くのレンタルビデオショップへ行くと、若い店長がレジ脇のパソコンを操作しながら迷惑そうに言った。

「うちの店から貸し出したものです。

返済日が過ぎても、連絡が取れないので困っていたんです。

レンタル代、延滞料が一定額を超えてしまいましたから、お買い取りという形になります」

「これを借りに来たのは？」

山下と由美を怪訝《けげん》な顔で見ながら、店長が答えた。

「……水沼毬恵さん、ということになっていますけど……」

「毬恵？

本人が借りていたのか……」

推理が外れた山下が唸《うな》った。

「水沼毬恵が、このビデオカメラを借りに来たのは、いつなんだ？」

「……去年の12月21日ですね」

山下が由美につぶやいた。

「美々子が死ぬ3日前だ」


街角のデジタル時計が、8月7日　14時09分を表示していた。

由美も山下も、今の時刻を忘れようとしていたのに、否応なく、2人の目に飛び込んでしまった。

残された時間は、あと6時間17分。

由美が、その気まずい雰囲気を変えるために口を開いた。

「水沼毬恵は、あのビデオカメラで何を撮ったのかしら？」

「借りたのが、クリスマスの前だからな。

普通に考えれば、クリスマスの子供たちを撮ろうとしたんだろう？」

「あんな戸棚の隙間から、隠し撮りして？」

「撮影していることを意識させたくなかった……」

「……まさか……」

由美は、恐ろしい想像をした。

「どうした？」

「毬恵が自分を撮ろうとしていたら？」

「自分を？」

「……自分が手当てなり、看病している姿に酔いたいのだとしたら？」

「しかし、虐待しているのは……そうか、彼女は、代理ミュンヒハウゼン……」

「あのビデオカメラで撮影したテープは、どこに行ったんでしょう？」

「虐待の証拠となるテープだ。

毬恵が持っているんだろう。

とにかく、毬恵の行方を捜すしかない。

俺は、水沼菜々子がいる養護施設に行ってみる。

君は、本宮さんの所に行くんだ」

「警察？」

「そうだ。

君を、保護して貰《もら》えるように頼んである」

「だって、本宮さんは、〝死の予告電話〟なんて信じては……」

「信じちゃいないさ。

でも、君に群がろうとするマスコミを、もっと、信じていない。

マスコミは、今頃、小西なつみの携帯にメモリーされていた次のターゲットを血眼になって探しているはずだ。

君の名前が挙がるのは、時間の問題だろう」

「そんな……」

「一番、恐いのは、人の不幸につけこむ奴らだ」

山下は、怒りを込めて言った。

養護施設「夢の木学園」は、都心から車で1時間ほどの郊外にあった。

緑に囲まれた園内には、身寄りのない子や家庭の事情で保護されている子が元気に遊んでいる。

その屈託のない笑顔を見ていると、大人たちの勝手な行動による小さな被害者たちに胸が痛んだ。

山下と律子を残して死んでしまった両親も、不慮の事故とはいえ、子供を守れなかったという意味では同罪だ。

律子まで失った今となっては、山下は孤独だと思った。

由美まで失うわけにはいかない。

山下は、近くでドッジボールをしていた年長の子供に園長室の場所を聞いた。

菜々子は、一瞬、ちらりと山下を見たが、興味なさそうに、また、向こうを向いてしまった。

熊のぬいぐるみに玩具《おもちゃ》の聴診器を当てている女の子に、山下が声を掛けた。

「菜々子ちゃん！」

「菜々子ちゃん、お母さんは？」

「この子、喋《しゃべ》れないんです」

園長の小島紀子《のりこ》が、傍らで言った。

「先天的なものではありません。

おそらく、虐待が原因で……」

白髪の小島は、菜々子の黒い髪を愛し気《いとお》に撫《な》でながら説明した。

今までに何人もの恵まれない子供たちを見て来たであろう小島が、ことさら、菜々子を気の毒そうに見ている。

菜々子の背丈に合わせて屈《かが》むと、小島がゆっくりと聞いた。

「熊さん、また、病気になっちゃったの？」

菜々子は、聴診器を外しながら嬉《うれ》しそうに頷《うなず》く。

「お気に入りの遊びなんです。

本人は獣医さんにでもなったつもりなんでしょうか？」

「母親からの連絡は？」

「菜々子ちゃんが、ここに来てから一度も……」

「警察の方からは、水沼毬恵について……」

山下が、そう、聞こうとした時、すぐ近くであの曲が流れた。

山下は、反射的にびくっとした。

〝死の予告電話〟が着信した時のあのメロディだ。

オーバーに驚いた山下に、小島が微笑みながら言った。

「熊のお腹を押すと、音楽が流れる仕組みになっているんです」

確かに、それは、菜々子が抱いている熊のぬいぐるみから流れていた。

「この曲は？」

「ああ、去年、テレビの子供番組で流行《はや》った曲ですよ」

山下も屈んで菜々子と同じ目の高さになって聞いた。

「菜々子ちゃん、お母さんの携帯電話も、この曲が流れてた？」

菜々子は、じっと、山下の顔を見ていたが、何も答えなかった。

その頃、由美は、世田谷署の本宮の所ではなく、神山霊園にいた。

本宮の所へ行こうと電車に乗ったのだが、残された時間をじっとしていることができずに、ここまで来てしまった。

神山霊園は都営の霊園で、広い敷地の片隅に納骨堂があり、その中に並ぶロッカーのひとつひとつに、骨壺《こつつぼ》が納められている。

水沼美々子は、ここに眠っていると、大東亜葬儀社の村松に教えて貰った。

由美は、美々子のロッカーに線香を上げ、手を合わせた。

かわいそうだったね。

苦しかったよね。

母親に虐待を受けた美々子の気持ちが、痛いほどわかる。

でも、それって、誰にも言えないんだよね。

だって、自分の母親だから。

本当は大好きだから。

自分が我慢すればいいと思った。

だから、いい子にしていれば、お仕置きされないと思った。

ちゃんと、言うことを聞いていれば、痛いことはされないと思った。

煙草の火を押しつけられても、いつまでも、泣かないよ。

昨夜、電話しながらお母さんが泣いていたのは、お父さんのせいでしょう？

お父さんが、他の女の人と一緒にいたんでしょう？

おばあちゃんが教えてくれた。

私は、どこへも行かないよ。

ずっと、お母さんのそばにいるから。

知らないうちに、由美は美々子の気持ちに同化していた。

涙が溢《あふ》れて止まらなかった。


夢の木学園の駐車場を出ようとした時、山下の携帯が鳴った。

本宮だった。

「彼女、まだ、こっちに来ねえぞ」

「向かったと思うんですけど、
どこかに寄ったのかもしれません」

「で、どうなんだ、そっちは？」

「水沼菜々子が預けられている養護施設に来ています。

毬恵のことを聞き出そうと思ったんですが、虐待のショックで口がきけなくなっていました。

気になったのは……音楽です」

「音楽？」

「菜々子が大事にしている熊のぬいぐるみのお腹を押すと、子供たちに人気のテレビ番組のテーマソングが流れる仕掛けになっているんです。

そのテーマソングが……〝死の予告電話〟の着メロでした」

「じゃあ、被害者たちが受けていた着メロというのは……」

「水沼毬恵の携帯の着メロだった可能性が高いでしょう」

「しかし、着メロってのは、受ける側のもんだろ？

なんで、被害者たちの携帯で、毬恵の着メロが鳴るんだ？」

「それが、霊的なものだとすると……」

「やめてくれ！

俺は、刑事だぞ。

そんな説明は受けつけねえんだ」

電話の向こうで、本宮が大仰に嫌な顔をしているのが目に浮かんだ。

「それより、頼まれてた毬恵の母親の現住所がわかったぞ」

山下は、車の助手席に置いてあった律子の遺品のノートの1ページに、本宮が言う住所をメモした。

美々子が眠るロッカーで、彼女に話し掛けているうちに、由美は、毬恵がどんな母親だったのか、知りたくなった。

毬恵は、どんな風に美々子や菜々子と接していたのだろう？

バスを乗り継ぎ、加賀見病院に着くと、すでに外来の診療時間は終了していた。

見舞い客を装ってロビーを抜け、2階のナースステーションで、人のよさそうな中年の看護師に話を聞いた。

「水沼毬恵さん？

ああ、前の病院によくいらしてた……

2人の女の子のお母さんでしたよね？」

「ええ……美々子ちゃんと菜々子ちゃんの……」

「上の……美々子ちゃんの方が喘息《ぜんそく》で……亡くなったんですよね。

しっかりしたいい子だったのに……。

発作が起きてから、もっと、早くに病院に連れて来てくれれば、なんとかなったと思うんですけど……。

助けを求めに来たのか、隣の家の前で美々子ちゃんが倒れていたそうです。

それで、その人があわてて、救急車を呼んで……」

「えっ？　毬恵さんが、病院に連れて来たんじゃないんですか？」

「いつもなら、お母さんなんですけどね。

その時は、たまたま、お母さんと菜々子ちゃんが家にいなかったみたいで……」

「後から病院に駆け付けた毬恵さんは、どんな様子でした？」

「そりゃあ、取り乱しちゃって大変でした。

自分の責任だって、泣き叫んで……。

とっても、いいお母さんでしたから。

お嬢さんたちを心配して、しょっちゅう、泊まり込みで看病していたし……」

なぜ、毬恵は、喘息がちな美々子をほったらかしにしたんだろう？

美々子が死んだ日、水沼毬恵のあの部屋で、何があったのか？

由美は、あの部屋の戸棚の隙間から覗《のぞ》いていたビデオカメラの存在を思い出していた。

あのビデオカメラが、何かを見ていたのだ。

美々子が喘息の発作で苦しんでいる様をテープに録画しようとしていた？

そこに献身的な母親の自分が登場して、手厚く、看病する？

それが、予想もつかなかったことに、美々子が呼吸困難に陥ってしまった？

「今、水沼さんと連絡がつかなくなっちゃってるんですけど、どこか、彼女が行きそうな所、知りませんか？」

「家庭的に、複雑な事情をお持ちの方でしたからねえ。

未婚で2人の子供を産んだそうで、頼れる人がいないと言ってましたから。

友達も全くいなかったんじゃないですか？

だから、あの頃は、仕事以外の時間はほとんど病院にいるって感じでしたから。

前の病院のことだったら、新人の看護師より詳しかったくらいで……」

「……あの、前の病院があった場所って、今、何になっているんですか？」

「何にも。

っていうか、まだ、取り壊されていませんから」

「前の加賀見病院が、まだ、残ってる？」

由美が、声のトーンをひとつ上げてつぶやいたので、看護婦は不思議そうな顔で見た。

シュッ！　シュッ！　シュッ！

廊下で立ち話している2人は気づかなかった。

ちょうど、近くを配膳用のカートが通過している時で、ましてや、病院の中では、喘息の吸入器の音は、不自然な音ではなかった。

しかし、その音は、まるで、意志を持っているかのように、由美のまわりを動いていた。


西川口のソープランド街の客引きを無視しながら、山下は手帳に走り書きした住所を探していた。

そのスナックは、線路沿いにあった。

長屋の一角を改築した店先には、ウイスキーメーカーから贈られた古ぼけた看板が寄せられていた。

「スナック　ひろこ」。

山下がドアを開けると、カウンターでビールを飲んでいたシミーズ姿の中年の女がこちらを振り返りもせずに、「まだ、やってないよ」と言った。

「水沼毬恵さんの実家ですよね？」

女は、山下を一瞥《いちべつ》すると、ハイライトに火をつけながら、

「サツかい？」と聞いた。

「いえ。

毬恵さんを捜している者です」

「金なら、ないよ」

煙草の煙を山下に吹き掛けながら、女は警戒した目を向けた。

「話を聞きたいだけです」

女は、肩をすくめ、コップのビールを飲み干しながら言った。

「10年前に出てったきりだ」

「最近、連絡、ありませんでしたか？」

「出てったきりだと言ったろう？」

「お母さんですか？」

女は、だるそうに腰を上げ、カウンターの中に入った。

「毬恵さんが、トラブルに巻き込まれている可能性があります。

去年の暮れから、行方不明なんです」

「あたしにすりゃあ、あの子はずっと、行方不明みたいなもんだ。ある日、突然、いなくなっちまったんだからね」

「それは、あなたが虐待していたからじゃないですか？」

山下がそう切り出すと、女は、水道の蛇口をひねりながら、

「帰りな」ときつい口調で言った。

「おそらく、彼女は病気です。このままでは、あなたの孫まで犠牲になるんですよ」

女は、明らかに、〝孫〟という言葉に反応した。

「娘が2人いたんですが、1人死にました。毬恵さんの病気のせいかもしれません。彼女に何があって、この家を飛び出したんですか？」

女は、何も答えないまま、薄汚れた雑巾《ぞうきん》を洗っていた。どんなに洗っても、きれいになりようがない雑巾だった。

カウンターの招き猫型の時計の針が5時半を指していた。残り3時間を切った。

山下が、あきらめてドアを開けた時、女が言った。

「父親だよ。実の父親が手を出したのさ。

一番目の子は、たぶん、その時の子だ」

過去の暗闇から搾り出すような声で言った。

「あなたが、虐待していたわけではないんですね?」

「薄々、感づいていながら、何も言えなかったっていうのも、あたしが虐待してたみたいなものさ」

女は、さっきよりもさらに強く、雑巾を洗っていた。


由美が、公衆電話ボックスから山下に電話をかけると、電車が通り過ぎる音が聞こえた。

「本宮さんの所で保護して貰《もら》えと言っただろう?」

山下は、怒っていた。

「ごめんなさい。

じっとしていられなくて……。

移転前の加賀見病院、まだ、そのまま残っていたの。

これから、私、行ってみる」

「だめだ。

俺が行く。

君は本宮さんの所へ行け!」

「でも……」

「予告された時間が過ぎるまで、君は、水沼毬恵と関係のない場所にいるんだ」

山下の強い口調に、由美は反論できなかった。

「それから、腕時計を外すんだ。

俺がいいと言うまで、時計を見るな。

いいね？」

「……うん」

「絶対に、海に連れて行くから」

山下は、そう言って電話を切った。

電話ボックスから出た由美は、まず、腕時計を外した。


「正直言って、俺には何がなんだかわからねえ」

本宮は、慣れない手つきで、由美にお茶を淹《い》れてくれた。

世田谷警察署の会議室には、本宮と由美しかいなかった。

「何が起きているんだ？」

「私にもわかりません。

ただ……」

「ただ？」

「常識では考えられないことが起きていると思います」

「少なくとも、俺の中の常識では考えられない。

本庁の連中は、催眠術の線で捜査してるけど、
本当に催眠術なら、かけられたのは小西なつみたちじゃなくて、
テレビを観てた俺たちの方だよ」

「本宮さんは、何で急に変わったんですか？

霊の存在なんて信じていなかったんでしょう？」

本宮は、湯呑《ゆの》み茶碗《ぢゃわん》の出がらしのお茶をずるずると音を立てて飲みながら言った。

「今だって、霊なんか信じちゃいねえよ。

山下だよ。

あいつの目を見てたらな、自分と同じものを追い掛けているような気がしたんだ」

外で騒がしい声がした。

『小西なつみ』、『大学』、『友達』、『中村由美』、『保護』などの言葉が飛び交っている。

どこで嗅《か》ぎ付けたのか、由美がここに保護されていることを知って、マスコミが押し寄せて来たらしい。

「ハイエナめ！

公務執行妨害でしょっぴいてやる」

本宮は、険しい形相で部屋を飛び出して行った。

由美は、ふと、時間が気になった。

若い警官にここに通された時、壁に時計があったのを目の端で捉えていた。

顔を上げて、壁の時計の時刻を確認したい誘惑に駆られたが、由美は山下との約束を守った。

ここで、こうしているうちにも、時は指の間からこぼれる砂のように過ぎて行く。

山下のそばにいたいと思った。

由美はトイレに行くふりをして、裏口から警察署を抜け出した。

建物の前には、テレビ局の中継車が何台も横付けされ、大きな照明灯が正面玄関を浮かび上がらせていた。

由美は、タクシーを拾うと、旧加賀見病院の住所を告げた。

闇をナイフで切り裂いたような青い三日月が出ていた。

見たことがある、と由美は思った。

祖母が自殺した夜の月だ。

この世から、すべての光が失われた夜、あの青い三日月だけが由美を照らしていた。

錆《さ》びた鉄の門の向こうに、旧加賀見病院はあった。

老朽化して、取り壊しを待つ廃病院。

染みだらけのコンクリートの建物が放置された巨大な棺桶《かんおけ》のようだ。

侵入者がないように、門の上には蛇のような鉄条網が横たわっている。

由美はその前に立ちすくみながら、逡巡《しゅんじゅん》していた。

山下は、もう、来ているのだろうか？

中に入っているのだろうか？

ここまでは来たものの、誰もいない廃病院に1人で入る勇気はなかった。

その時、廃病院の1階に電気が灯《とも》った。

「……山下さん」

門扉の隙間から中を覗《のぞ》こうとして、左右の門扉をくくりつけるように巻かれた針金が切断されていることに気づいた。

やっぱり、山下は来ていたのだ。

その重い門扉を横に引くと、金属がこすれあう嫌な音がした。

由美は、決心して中へ入った。

正面玄関までの道は、雨が降ったわけでもないのにぬかるんでいた。

一歩歩くたびに、土の中から誰かに足首を摑《つか》まれるような錯覚に陥った。

風がぴたっと止んだ。

数メートルの距離で汗をかいた。

あちこちが割れたガラス窓の向こうに、人影は見えない。

山下は奥にいるのだろう。

正面玄関の自動ドアにはベニヤ板が張られていた。
由美は、脇の夜間用の出入り口に回った。
ドアのノブが壊されていた。
「山下さん！」
ドアを引き、中に向かって、声を掛けたが返答はなかった。
しーんと静まり返っている。
「……山下さん！」
そう、呼び掛けながら、由美は建物の中に入った。
湿気と暑さでむっとした。
饐《す》えたような匂いがする。
黴《かび》と埃《ほこり》の粒子で、喉《のど》がいがらっぽくなった。
どこかから、かすかに音楽が聞こえた。
――ディズニーの「星に願いを」。
山下の妹が好きだった曲。
山下の着メロだ。
「山下さん！　どこ？」
由美は、着メロが聞こえる方へと進んだ。
ふいに音が止んだ。

由美は立ち止まり、何度か、山下の名前を呼ぶが返答はない。

しばらくすると、今度は、廊下の反対の方で着メロが鳴った。

「そっちにいるんですか？」

大きな声でそう呼び掛けながら、着メロが聞こえる方へ歩いた。

音が止んだ。

今度は、廊下を左に曲がった方で鳴った。

「私、ここです！」

由美が叫んだ。

着メロが廊下の左側から近づいて来る。

由美も走った。

「山下さん！」

ほっとしたようにつぶやきながら、コーナーを曲がろうとした時、
音が止んだ。

左の廊下には、誰もいなかった。

山下も移動してしまっては、なかなか、遭えない。

「動かないで！」

由美の声に応《こた》えるように、すぐ、近くのドアの向こうで着メロが鳴った。

「今、行くから！」

観音開きの金属のドアの上には、『手術中』というサインが点灯していた。

ドアを開けると、確かに、ここで着メロが鳴っている。

「山下さん……」

手術用の器具がそのまま残されているこの部屋に、山下の姿はなかった。

真ん中の手術台の上に置かれた携帯電話から、「星に願いを」が流れていた。

その携帯を手にして、由美は凍った。

それは、昨日、山下が壁に投げつけて壊してから、投げ捨てて来たはずの由美の携帯だった。

――8月7日　20時12分。

山下と約束していたのに、今の時間を見てしまった。

残り14分。

由美は、突きつけられた現実に逆上して、携帯を力任せに投げ捨てた。

その瞬間、この建物のすべての電気が音を立てて、一斉に落ちた。

真っ暗だった。

運命がそこで閉ざされた気がした。

由美は、しばらく、そこにしゃがみ込みながら呆然《ぼうぜん》としていた。

山下が来ていないのだとしたら、ここを出なければいけない。

ようやく、正気に戻った由美は床に這《は》いつくばって、手探りでドアを探した。

ほんの少しだけドアを開け、その隙間から恐る恐る外を覗くと、リノリウムの廊下が窓の青い灯《あか》りにぼんやりと浮かんでいた。

左を確認してから、右を見た時、由美は思わず悲鳴を上げそうになり、その声をのみ込んだ。

少し離れた柱の陰から、髪の長い女がこちらの様子を窺《うかが》っている。

由美は、そっと、ドアを閉め逃げ場を探すが、手術室には他にドアも窓もなかった。

ぺたり……ぺたり……ぺたり……。

女の足音が近づいて来る。

ぺたり……ぺたり……ぺたり……。

由美の心臓が早鐘のように打ち始めた。

恐怖が足元からせり上がってくる。

ぺたり……ぺたり……ぺたり……。

もう、すぐ、そこまで来た時、由美は廊下に飛び出し、右側を見ないようにして、一気に左へと走った。

ぺた、ぺた、ぺた、ぺた、ぺた……。

女の足音が急に早足になって追いかけてくる。

由美の目の前は突き当たりの壁、その手前に階段があった。

ぺた、ぺた、ぺた、ぺた、ぺた……。

背中に視線を感じながら、振り切るように階段を駆け下りた。

地下の一室に飛び込んだ由美は、ドアを閉め、スチールの棚の後ろに身を隠した。

息を整えているといきなり、誰かの掌が前を塞いだ。——大きなガラス瓶に浮かんだ人間の手だった。

他にも、腸や眼球や胎児がホルマリンに漬けられて並んでいる。

この部屋は、研究用の資料室だったらしい。

引っ越しの際に処分しようとしたのだろう。

ぺたり……ぺたり……ぺたり……。

部屋の前で、足音が止まった。

ドアが軋《きし》みながら、ゆっくり、開いた。

女は気配を窺っている。

由美は、がたがた震えながら、体勢を低くした。

ぺたり……ぺたり……ぺたり……。

棚と床の隙間から、女の異常に白い素足が由美を捜しているのが見えた。

ふと、その素足が止まった。

そして、爪先《つまさき》をこちらに向けた。

ぺたり……ぺたり……ぺた、ぺた、ぺた……。

小走りに向かって来るその素足に由美はすべての力を振り絞って、棚を倒した。

がしゃがしゃがしゃーん。

何かがひしゃげる音とガラス瓶が割れる音が耳をつんざいた。

由美は、いつのまにか、靴も脱げたまま、這うようにしてドアの外を目指した。

うつぶせのまま、廊下に上半身を出した所で、由美の足首がぎゅっと冷たい手に摑《つか》まれた。

倒れた棚の下から細い腕が伸びている。

由美は、足で蹴《け》って、その腕を離させようとするが、逆に、凄《すさ》まじい力で部屋の中へ引きずり込まれた。

「いやぁ〜！」

絶叫が、建物の中でこだました。

今度はいきなり、由美は両腕を摑まれた。

足首を部屋の中に、両腕を廊下側に引っ張られるので、由美の上半身と下半身はバラバラになりそうだった。

激しく抵抗していると、眩《まぶ》しい光の中で声がした。

「俺だ！　しっかりしろ！」

山下だった。

「大丈夫か？」

そう声をかけながら、山下がうつぶせの由美の両脇から手を入れ、廊下側に一気に引き上げた。

由美の足首を摑んでいた細い腕も、倒れた棚の下敷きになっていた黒い髪の毛も消えていた。

山下が由美を抱き起こす。

「怪我は？」

恐怖で由美は口をきけなかった。

山下が見ると、由美の手や足のあちこちから、血が流れていた。瓶が割れたガラス片で切ったのだろう。

「歩けるか？」

山下の胸にしがみついていた由美が震えながら頷《うなず》いた。

「とにかく、ここを出よう！」

足元が覚束ない由美を支えながら、懐中電灯で廊下の向こうを照らした。

数メートル先に、地下駐車場へと続く出口があった。

その金属の扉は、内側からロックできるようになっているので、開くはずだ。

追いかけてくる足音がしないか、耳を澄ませながら、２人は扉まで歩いた。

山下がノブを回すと、ドアはゆっくりと開いた。

しかし、30センチくらい開いたところで、それ以上開かない。

ドアの外に段ボール箱が積まれていて、それが邪魔になっているのだ。

山下は、ドアの隙間から右手を伸ばして、なんとか段ボール箱を動かそうとした。

その様子を見ながら、由美が不安そうに何度も後ろを振り返っている。

一瞬、山下は、ドアの隙間から伸ばした自分の右手がひんやりしたものに触れたのを感じた。

山下の角度からは、それが、何であるかは見えない。

手探りでそのひんやりしたものを確認しようと指を開いた時、すぐにその正体がわかってぞっとした。

目があり、鼻があり、口があり……、それは、顔だ。

山下が、隙間を覗《のぞ》いて愕然《がくぜん》とした。

自分の右手が長い髪の女の顔の上に置かれている。

「うわっ！」

声を上げて、その右手を引き抜こうとすると、女の手に摑まれた。

「山下さん！」

右肩までドアの隙間に持っていかれそうになった時、反射的に左手の懐中電灯を女に投げた。

ごつん。

鈍い音がして、摑まれた右手が自由になった。

掌が濡《ぬ》れていた。

女の汗か鼻水かよだれか……。

「上へ戻るんだ」

いくつかの窓から洩れる外光だけを頼りに、山下と由美は走り出した。

階段の手前で、女の声がした。

「お兄ちゃん……」

「律子……」

山下は、足を止めた。

声は、廊下の奥の霊安室から聞こえた。

山下は、見えない糸に引き寄せられるように近づいて行く。

「行っちゃだめ！」

由美が叫んだが、山下は聞かない。

「妹さんじゃないわ」

「いや……律子だ。

俺にはわかるんだ」

「開けないで！」

「律子……」

霊安室の扉に山下が手をかけた瞬間、大きな爆発音とともに扉が吹き飛ばされた。

中からは赤い舌のような炎が噴き出した。

爆発のショックで山下は廊下の壁に打ちつけられた。

「山下さん!」

駆け寄ろうとすると、背後の壁からふいに女の手が伸びて来て、由美を強引に引き寄せた。

壁にはりつけになった由美の首を女の手が絞める。

苦しい。

首に食い込む10本の指を剝《は》がそうとするのだが、剝がせない。

由美は、体をねじらせ、女の腕に嚙《か》み付いた。

痛みをおぼえないのか、その手がひるむことはなかった。

「由美!」

意識が戻った山下が、近くの消火栓のガラスを蹴破り、中から斧《おの》を手にした。

気道と頸《けい》動脈を塞《ふさ》がれて、次第に意識が遠退いて行く。

「うおぅ〜!」

山下が奇声を上げて、斧を振り下ろした。

背後から伸びた2本の腕は斧が当たる直前に、ふっと消えた。

と、同時に酸素と血液が一気に、由美の体を駆け巡った。

ごほごほと咳《せ》き込んでいる由美の手を取って、山下が斧を持ったまま走り出す。

ぺた、ぺた、ぺた、ぺた、ぺた……。

足音が追いかけて来る。

2人は、一番近くの部屋に逃げ込み、スライド式のドアを閉めた。

山下は斧を足元に置き、両手でドアを押さえながら部屋の中を見回すと、天窓から射し込む薄明りにシャワーと手摺《てす》りのついた2つの浴槽が見えた。

入院患者用の浴室らしい。

不意打ちのように〝死の予告電話〟の着メロが鳴った。

シャワーカーテンの下に転がっていた由美の携帯が着信を告げている。

「無視するんだ！」

山下の言葉とほぼ同時に、由美が携帯を拾った。

液晶画面には、由美の携帯番号が表示されている。

着メロが鳴り止むと、『着信アリ』の4文字が残った。

——8月7日　20時25分。

「……あと、1分……」

由美が、絶望的な気持ちでつぶやいた。

山下が由美に何か、言葉をかけようとした時、急に、ドアがこじ開けられそうになった。

数センチ空いた隙間から、女の指がドアにかかっている。

再び、着メロが鳴り始めた。

山下は、懸命に、ドアを押さえる。

「浴槽の縁に上って、天窓から逃げろ!」

由美が、浴槽の縁に足を掛けると、その中で何かが光っていた。

携帯電話が発信して光っているのだ。

「山下さん! ここにも携帯が!……」

由美がそう叫びながら、発信中の携帯に手を伸ばすと、その液晶画面には、中村由美の名前と携帯番号が点滅していた。

「私の携帯に発信している!」

由美が声を上げた。

スライド式のドアは、さらにこじ開けられて、黒い髪の頭が覗いた。

山下は、必死の形相でドアを押さえながら、由美に怒鳴った。

「切れ! 電源を切るんだ!

それが、毬恵の携帯だ」

由美は、震える手で携帯の電源を切ろうとするが、うまくいかない。

ボタンを押しているのに、液晶画面が消えないのだ。

床に転がっている由美の携帯は、ずっと、着メロが鳴り続けている。

「切れない!!」

由美は、狂ったように電源のボタンを押し続けた。

「お願い!!」
由美は、絶叫した。
突然、着メロが止んだ。
スライド式のドアをこじ開けようとしていた女の手と黒い髪の頭が、ふっと、消えた。
見ると、由美が握っていた携帯電話の電源も落ちていた。
由美は、へなへなとその場に尻餅《しりもち》をついた。
荒い息の山下が腕時計を見ながら、
「8時27分だ。
予告時間を過ぎた」と言った。
「……よかった。
山下さん……」
由美が礼を言おうとすると、山下の顔色が変わった。
「由美!
うしろ!……」
背後で、水のしたたる音がした。
振り向いた由美の目の前に、ずぶ濡れの水沼毬恵がいた。
毬恵の家で見たように、微笑みながら……。
由美は、もう、逃げる気力を失っていた。

毬恵は、ゆっくり、由美の首に両手を伸ばして来た。
山下が駆け寄り、渾身《こんしん》の力を込めて、毬恵にめがけて斧を振り下ろした。
どすっ。
斧は毬恵の肩の肉を削《そ》ぐが、毬恵は表情ひとつ変えない。
山下は、また、斧を振り下ろす。
どすっ。
今度は、毬恵の胸に食い込んだ。
それでも、毬恵は何のダメージも受けないまま、由美に近づく。
山下が、毬恵の胸に食い込んだ斧を抜こうとした時、一瞬、毬恵が山下を睨《にら》んだ。
まるで、「邪魔をしないで!」と言うように。
その瞬間、山下の体が見えない力で飛ばされた。
ドアにぶつかり、山下は立ち上がれなくなった。
毬恵は、由美の方を向いて、また、微笑みかけた。
この笑顔……見たことがある。
幼い頃、母親が由美の腕に煙草の火を押しつけた時の笑顔だ。
毬恵の手が由美の首に触れた。
その細い指が、ゆっくりと、由美の首を絞めてゆく。
由美はそのままの姿勢で近くに転がっていた自分の携帯を手にして、通話ボタンを押した。

「……もしもし、お母さん……」

毬恵の指が止まった。

「……もう、逃げないから。

いい子でいるから」

なぜか、由美の目から涙があふれて来た。

「……私、ずっと、ここにいるよ。

お母さんと一緒にいるよ」

毬恵の指の力が弛《ゆる》んだ。

由美は、その手をそっと握り、毬恵の体を抱き締めた。

「……お母さんも淋《さび》しかったんだね」

毬恵の目から一筋の涙が落ちた。

次の瞬間、毬恵は、仄《ほの》かな光に包まれ、由美の腕の中でみるみるうちに白骨化していった。

旧加賀見病院は、警察関係の人間と、それを取り囲むマスコミ関係の人間と、さらにそれらを取り囲む野次馬でごった返していた。

パトカーの赤色灯とテレビの照明とあちこちで焚《た》かれるカメラのストロボで、付近は昼間のように明るい。

　建物から出て来た妹尾がパトカーの無線でやりとりをしていた本宮に言った。

「死後、半年以上経過しているようです」

「死因は？」

「詳しいことは、まだ、わかりませんが、おそらく、溺死《できし》……」

　遠くから、狙っているカメラを感じて、本宮は妹尾をパトカーの陰に引っ張った。

「水沼毬恵か？」

「おそらく。

　ＤＮＡ鑑定の結果を待つまでもないでしょう」

　妹尾は、証拠品用のビニール袋に収められた携帯電話を見せながら言った。

「水沼毬恵名義の携帯です」

　本宮はズボンのポケットから出した薄手のゴム手袋をつけると、中の携帯を取り出した。

「不思議なのは、半年以上経っているのに、バッテリーが切れていないということです」

　本宮が電源のボタンを押すと、確かに、液晶画面が明るくなった。

「発信履歴を見て下さい」

　妹尾に言われて発信履歴を開くと、新しい順に、中村由美、小西なつみ、河合健二、岡崎陽子、高島里奈……何人もの名前が並んでいた。

　履歴の後ろの方には、山下律子の名前もあった。

「しかも、発信した日時が……」

発信した日時は、どれも毬恵が死んだと思われる時期よりも新しいものだった。

「それに、携帯電話会社に止められていたんだろう?」

本宮は、思わず、唸《うな》った。

「霊ですよ。

水沼毬恵の……」

いつのまにか、山下がそばにいた。

「そうとしか、説明がつかない」

本宮の手から、山下が毬恵の携帯を奪った。

「それは、証拠品だ!」

妹尾が取り返そうとすると、本宮が制した。

「この男の指紋は、すでに、この携帯にもついている。

それに、どうせ、何に対する証拠品なのか、わからないんだ」

山下は、その携帯のメモリーから『中村由美』を呼び出し、力を込めて削除した。

「ちゃんと供養してやって下さい」

毬恵の携帯を返しながら、山下がそう頭を下げると、本宮が言った。

「水沼菜々子の施設に連絡を取った。

園長が、あんたに見せたいものがあるそうだ」

「俺に？」

「一緒に行ってくれないか？」

救急隊員にガラスの破片で切った傷の手当てをして貰《もら》っている由美を気遣う山下に、妹尾が言った。

「彼女は、我々が責任を持ってお送りしますから」

「もちろん、マスコミも近づかせない」

本宮が、うるさい蠅を見るように、まわりを見回した。

「わかりました」

山下は、救急車のストレッチャーに腰をかけている由美の所へ行き、微笑みながら言った。

「明日、海へ行こう」

由美は、疲れた顔に笑みを浮かべ、頷《うなず》いた。

「後で、自宅へ電話する」

そう言いながら、山下は由美を愛《いとお》しく思っている自分に気づいた。

サイレンは鳴らさなかったものの、装着式の赤色灯を回した車は国道２４６号線を西に走っていた。

本宮が運転するその助手席で山下は今回の事件について自分なりの推測を話していた。

「水沼毬恵は、幼い頃から実の父親の性的虐待を受けていました。16歳の時に実の父親の子供を身籠《みご》もった毬恵は、家を飛び出し、1人で美々子を産みました。年齢を偽ってホステスをしながら、美々子を育てるうちに、毬恵は妹の菜々子を産みます。

相手は、店の客の誰かでしょう。家庭という存在に飢えていた毬恵が、また、父親のいない子供を産んでしまったこの頃から、精神のバランスがおかしくなったようです。子供に対する愛と憎しみが交錯して、代理ミュンヒハウゼン症候群を発症させたのだと思います」

「ダイリ……?」

聞き慣れない言葉に、本宮が聞き返した。

「『代理ミュンヒハウゼン』。自分がいい母親だと認められたいがために、実の子供を傷つけたり、わざと病気にさせて、一生懸命、看病する心の病です。専門家の間では、過去に母親から虐待を受けた母親が発症するケースが多いと言われています」

「毬恵は、美々子や菜々子を虐待していたのか?」

本宮が、強い口調で聞いた。

「間違いありません。

子供たちが、1カ月に9回も、火傷《やけど》や骨折や画鋲《がびょう》を誤飲するのは異常でしょう。

その度に、救急治療を受けていたのが、引っ越しする前の加賀見病院です。

岡崎陽子や河合健二や小西なつみが死ぬ直前、彼等の携帯から発信されていたのは、旧加賀見病院の救急治療用の受付電話番号です。

病院に連れて来た美々子や菜々子を、毬恵は夜も寝ずに、一生懸命看護していました」

「毬恵の虐待に誰も気づかなかったということか？」

「いいえ。

救急治療があまりに頻繁でしたからね。

病院側は、区の児童相談所に相談しました」

「じゃあ、その時、相談に乗ったのが……」

「臨床心理士の……妹の律子です。

律子は、代理ミュンヒハウゼンを疑っていました」

本宮は前を向いたまま、黙り込んだ。

「ところが、喘息《ぜんそく》がちだった美々子が呼吸困難に陥り、死んでしまう。

責任を感じた、と言うより、世間から〝いい母親〟ではなく、〝娘を死なせてしまった母親〟という目で見られることを恐れた毬恵は、美々子の葬儀の後、菜々子を残して、自殺したんだと思います。

〝死んだ娘を愛していたがために、後追い自殺した不幸な母親〟として、同情を引きたかったのかもしれません。

もっと、〝いい母親〟として認められたいという思いが、何らかの形で毬恵の携帯電話から発信したんでしょう」

「しかし、なぜ、関係のない人間の携帯へ……」

「誰でも、よかったんです。

被害者の携帯のメモリーから次の被害者を選んでいたんです。

毬恵は、すべての人間の母親でありたかったんですよ。

だから、みんなを虐待しておいて、その携帯から旧加賀見病院の救急電話に発信していた……。

そんなことを繰り返しているうちに、テレビが騒ぎ始めた。

毬恵にとっては、自分が〝いい母親〟であることをアピールする絶好のチャンスだと思った。

その対象が、小西なつみでした」

「テレビが騒がなければ、彼女は助かっていたのか？」

「あるいは……。

少なくとも、生放送中にあんなに残酷な殺され方をすることはなかったでしょう」

「ひとつ、わからないことがある。毬恵がその代理なんとかだとして……なぜ、毬恵が、みんな、殺してしまったんだ？病院に連れて行って、手厚く看病するのが目的だろう？」

「それは、俺にもわかりません」

山下が、そう答えた時、「夢の木学園」への道標が見えて来た。


長い廊下を歩きながら、いくつかの空っぽの教室を見た。

夜の10時を過ぎていたから、子供たちは敷地内の宿舎で寝てしまったのだろう。

小さな椅子。

壁に貼られた幼い絵。

片付けられた玩具《おもちゃ》。

いるべき所に子供たちがいないのは、ふと、不安になるものだ。

山下は〝ハーメルンの笛吹き〟を思い出す。

通された応接室で待っていると、園長の小島が1本のビデオテープを手にやって来た。

「菜々子ちゃんのお母さんが亡くなっていたとか……」

「ええ、半年以上前に……。

さっき、遺体で発見されました」

詳しいことを避けて、本宮が説明した。

「今日、山下さんがお帰りになった後で、菜々子ちゃんの私物を整理していたら、こんなものが……」

そう言いながら、小島は手にしていた1本のビデオテープを応接室のビデオデッキに入れた。

テレビに再生され始めたのは、水沼毬恵がカメラに向かって手を伸ばしている所だった。

おそらく、録画のスイッチを入れたのだろう。

画面の片隅には、'02　12月24日の日付が入っている。

「これは、毬恵の部屋の戸棚から、隠し撮りされたものです」

山下が言った。

「隠し撮り？」

「毬恵が子供たちを虐待して、その後、自分が献身的に看病する姿を録画しておきたかったんだと思います」

「代理なんとかか……。

狂ってる！」

「それが……」

小島は、言いにくそうに画面を見つめた。

この先を観てもらった方が早いと思ったのか、口を噤《つぐ》んだ。

カメラが写し出す部屋から、毬恵が消えた。

遠くで、ドアが閉まる音が聞こえる。

毬恵は、外出したらしい。

母親の外出を待っていたように、美々子が手をつないで菜々子を連れて来る。

テーブルで、2人で絵を描き始めた。

もちろん、2人はビデオカメラが録画していることを知らない。

どこにでもいる姉妹のように、美々子は菜々子にやさしく、絵の描き方を教えている。

しばらくすると、美々子が席を離れた。

戻って来た美々子は、手に包丁を握っていた。

美々子が、何のためらいもなく、菜々子の腕に包丁を切りつけた。

「これは!」

山下が叫んだ。


パトカーがアパートに近づくと、後部座席に身を潜めた由美は異様な光景に驚いた。

由美のアパートのまわりには、ロープが張られ、報道陣が取り囲んでいた。

「どうします?」

運転していた警官が聞いた。

「家に帰ります」

由美は、毅然《きぜん》と言った。

もう、逃げるのは嫌だ。

パトカーから警官に付き添われてアパートの外階段を昇ると、一斉に照明が当てられ、ストロボが焚《た》かれた。

怒号が飛び交い、遠くから、質問が飛ぶ。

「〝死の予告電話〟から、自分だけが生還したお気持ちは？」

「水沼毬恵さんと、面識はあったんですか？」

「霊の存在を信じますか？」

「番組のプロデューサーの藤枝さんが自殺したことについて、何か一言！」

「山下弘さんとのご関係は？

恋人という噂もありますが……」

「代理ミュンヒハウゼンって、何ですか？」

「あなた自身、母親から虐待を受けていたと聞きましたが……」

うんざりだった。

無責任な大衆の興味のために、由美の心には無数の矢が刺さった。

2階の手摺《てす》りから下を見ると、血の匂いを嗅《か》ぎつけたピラニアが自分を狙って集まっているような気がした。

「大丈夫ですか？

アパートの前に、我々がいますから、何かあったら言って下さい」

部屋の前で、本宮から指示を受けた警官が声をかけてくれた。

「ありがとうございます」

由美は、礼を言ってから、ドアを閉め、鍵《かぎ》とチェーンを掛けた。

由美は、玄関で張りつめていた気持ちが切れたように、声を上げて泣き始めた。


テレビの中では、菜々子が火がついたように泣いていた。

傍らで、美々子が菜々子の腕の傷口にタオルを当てている。

「病院に、連れてってあげる」

小西なつみの番組中にスタジオで聴こえた言葉だ。

美々子は、テーブルの上で充電中だった毬恵の携帯電話を取り、電話をかけ始めた。

おそらく、旧加賀見病院の救急治療に電話をしているのだろう。

その時、毬恵が戻って来た。

真っ赤に染まったタオルを腕に当て泣きじゃくっている菜々子と携帯を手にしている美々子の近くに包丁が落ちているのを見て、毬恵は息をのんだ。

そして、毬恵が言った。

「やっぱり……美々子だったのね?」


由美は、ユニットバスの中でシャワーを浴びていた。

汗や埃《ほこり》だけでなく、涙も洗い流したかった。

シャワーの先に顔を向けると、噴き出したお湯が立ち向かう強さを教えてくれているようで心地よかった。

忌ま忌ましい出来事は、もう、終わったんだ。

明日、山下さんに海に連れて行って貰《もら》おう！

思い出したくない過去は、新しい思い出が忘れさせてくれる。

由美は、前向きに考えることにした。

左斜め後ろの縦長の曇りガラスの窓に、中を覗《のぞ》き込むようについた小さな掌《てのひら》がふたつあることに、由美は気づいていなかった。


夢の木学園の年配の男性職員が、熊のぬいぐるみを抱いたパジャマ姿の菜々子を応接室に連れて来た。

ぐっすりと寝ているところを起こされたので、菜々子は眠そうな顔をしていた。

「君にひどいことをしたのは、お母さんじゃなくて、お姉ちゃんだったのか!?」

強い口調で聞いた山下を菜々子は怯《おび》えたように見た。

山下は、さらに、菜々子の肩を摑《つか》んで揺さぶりながら、詰め寄った。

「答えてくれ！」

小島が止めようとした時、肩を揺さぶられた勢いで、菜々子の腕から熊のぬいぐるみが落ちた。

床に転がった熊のポケットから、赤い飴玉《あめだま》がいくつも散らばった。

律子の口の中にあった飴玉だ。

なつみの口の中にも健二の口の中にも陽子の口の中にも頬張らされていた赤い飴玉。

「これ以上は……」

小島が菜々子を庇《かば》おうとすると、その腕を擦り抜け、赤い飴玉を拾いながら菜々子が初めて、言葉を発した。

「……でも、お姉ちゃん、この飴くれたの……

早く、よくなってねって……」

山下は、信じられないという目で菜々子を見ながら、絶句した。

テレビでは、毬恵が菜々子を抱え上げ、美々子の手から乱暴に携帯を奪い取っていた。

その反動で畳に倒れた美々子が、しゃくり上げるように泣きだした。

毬恵は無視して、部屋を出ようとしている。

嗚咽《おえつ》で咳《せ》き込んだ美々子が、喘息《ぜんそく》の発作を起こした。

「苦しい……お母さん……」

美々子は、気管をぜーぜー震わせながら、ぐったりしている。

喘息用の吸入器は、茶簞笥《ちゃだんす》の上にあって、美々子には届かない。

毬恵と菜々子はカメラのフレームから切れてしまう。

美々子は、激しく咳き込みながら、胸をかきむしった。

呼吸困難に陥ったのだろう。

「自分で、病院に電話しなさい」

怒りに満ちた毬恵の声が聞こえる。

手足を痙攣《けいれん》させた美々子が、最後の力を振り絞って声を出す。

「……電話……して……お母さん……」

その願いを断ち切るように、玄関のドアが閉まる音がした。

応接室が重い沈黙に包まれた。

菜々子だけが、事情がわからないまま、赤い飴玉を頬張っている。

「そうだったのか……」

山下が唸《うな》るようにつぶやいたのを聞いて、本宮がじれったそうに尋ねた。

「どういうことだ？」

「毬恵はこの疑惑を確かめるために、部屋の戸棚にビデオカメラをセッティングして、隠し撮りしたんです」

「疑惑？」

「美々子が『代理ミュンヒハウゼン症候群』ではないかと、毬恵は疑っていたんです」

「毬恵じゃないのか？」

「毬恵は、最初の犠牲者です。

死んだ美々子が、毬恵の携帯電話にアクセスして来たんでしょう」

「じゃあ……？」

本宮が答えを促すと、山下は険しい表情で、

「事件は、まだ、終わっちゃいない」と言いながら、
部屋を飛び出した。


ドライヤーをかけるのが、由美は嫌いだった。

ごーっというドライヤーの音がまわりの物音をかき消して、ひどく不安にさせるのだ。

すぐ近くに、誰かが忍び寄っても気づかない。

だから、由美は、時々、ドライヤーを切り、耳を澄ます。

そして、何も物音がしないのを確かめてから、また、ドライヤーのスイッチを入れるのが、習慣だった。

風呂《ふろ》上がりの由美は、ある程度、髪が乾いたところで、いつものように、ドライヤーを切った。

冷蔵庫からミネラルウォーターを出して、そのまま飲みながら、耳を澄ました。

隣の老夫婦の部屋から、テレビの音が漏れるくらいで、静かだった。

外も一段落したのだろう。

由美が安心したように、ドライヤーのスイッチを入れた時、午後11時を指そうとしてい

た壁の時計の針が、ゆっくりと逆回転し始めた。

連動するように、玄関のデジタル時計も、逆に進み始めた。

鏡を見ながら、ドライヤーをかけている由美は気づいていなかった。

由美は、遠くで〝死の予告電話〟の着メロが聴こえたような気がした。

空耳だ。

もう、すべてが終わったのだ。

そんな幻聴に怯《おび》えていてはいけない。

由美は自分に、そう言い聞かせた。

それでも、ごーっというドライヤーの音の中に途切れ途切れ、あの着メロが鳴っている。

不安になった由美が、ドライヤーを止めると、はっきりと、あの着メロが聞こえた。

体が固まった。

し～んと静まり返ったこの部屋に不気味な電子音楽が響いている。

玄関の新聞受けからだった。

「終わったんじゃないの……!?」

そうつぶやきながら、新聞受けの中を見ると、由美のひび割れた携帯があった。

――『着信アリ』の文字。

しかも、液晶画面に表示されている現在時刻が、逆に進んでいる。

22時48分、22時47分、22時46分、22時45分、22時44分、22時43分、22時42分……。

玄関のデジタル時計も壁の時計も逆に進んでいることに気づいた。

由美は、あわてて、FAX兼用の電話に飛びつき、山下に電話した。

何回か呼び出し音が鳴ってから、電話が繋《つな》がった。

「山下さん！

また、あの着メロが……」

そう話し始めるが、受話口から山下の声は聞こえて来ない。

かたん、かたん、かたん、かたん、かたん……。

受話口から、山下の声の代わりに、鉄製の階段を昇っているような音がした。

同時に、由美の部屋の脇の外階段からも、その足音が聞こえて来た。

山下が、携帯を片手に、今、まさに、鉄製の外階段を昇って来たのだ。

2つの足音は同時に止まった。

そして、電話とドアの向こうから、同時にノックの音が聞こえた。

「俺だ！」

由美は、電話を切って、玄関に走った。

「山下さん？」

「大丈夫か？」

「また、着信があったの……」

「開けてくれ！」

「うん」

由美がドアチェーンを外した時、靴箱の上のデジタル時計が目に入った。

22時11分だった表示が、一気に20時27分に変わった。

鍵《かぎ》を開けようとする由美の心の中でアラームが鳴った。

「どうした？」

ドアの向こうで、じれたように山下が言った。

「ちょっと待って……」

ドアスコープで確認しようとするのだが、由美はためらってしまう。

幼い頃のトラウマで、小さなその穴を覗《のぞ》けないのだ。

「もう、すべては終わったんだ」

由美は、ドアスコープに顔を近づけてはためらっていたが、勇気を振り絞り、穴を覗き込む。

ドアの前にいたのは、長い髪の少女だった。

「中に入れてくれよ、由美！」

山下の声色で長い髪の少女が言った。

「美々子……」

ドアスコープを覗きながら、由美がそう声を洩《も》らすと、美々子はドアスコープの方を見上げ、にやりと笑った。

次の瞬間、美々子が後ろ手に隠し持っていたアイスピックをドアスコープに突き立てた。

由美は、右目に飛び込んで来たアイスピックの先端を辛うじてかわした。

部屋の奥に逃げ込むと、背後からシュッ！　シュッ！　シュッ！　という音がした。

振り返ると、洋服簞笥の脇の姿見に、喘息用の吸入器を吸い込んでいる美々子の姿が映っていた。

「いつのまに、この部屋に入ったの？」

吸入器を外した美々子が、面白そうに由美の声色で言った。

「どうして？」

由美は誘われるように声に出してしまった。

――8月7日　20時26分に残されたメッセージ。

『……どうして？』

壁の時計が8時26分を指そうとしていた。

「どうして、こんなことをするの？」

由美は美々子に言った。

美々子は、にやにや笑うだけで何も答えないまま、ゆっくりと由美に近づく。

由美は、テーブルの上にあった果物ナイフを摑《つか》み、その刃先を美々子に向けた。

それでも、美々子は怯《ひる》むことなく、由美に迫って来る。

「病院に連れてってあげる」

美々子は、そう言いながら、ポケットから赤い飴玉《あめだま》をひとつ出した。

山下が、本宮から借りた車で由美のアパートに到着したのは、午前0時少し前だった。報道陣の1人が山下に気づいて、カメラを向けた瞬間、山下はその男を殴り倒していた。

「おまえらのせいで、悲しみが増幅されるんだ」

山下は、吐き捨てるように言った。

警官たちは、何も言わなかった。

彼等も事故や事件現場に立ち会ううちに、マスコミの暴力というものを垣間見《かいまみ》て来たのだろう。

「彼女は？」

アパートの外階段の前に立っていた警官に聞いた。

「部屋から出ていません」

山下は、ほっとした。

ドアをノックしてみたが、由美が出て来る様子がなかった。

鍵はかかっていなかった。

「美々子は？」と叫びながら、部屋の中に入ると襖《ふすま》の向こうから由美の話し声が聴こえた。

「よくわかるよ。

自分だけが我慢すればいいって思ったんだよね」

由美が、誰かに話しかけている。

「携帯に出てくれなかったのが、淋《さび》しかったんでしょう？　話を聞いて貰いたかっただけなのにね。『着信アリ』だけじゃ、伝わらないものね」

由美は、誰と話しているんだ？

「私……お姉さんだから……」

子供の声がした。

美々子だ。

山下が、あわてて、襖を開けると、

──由美が、ぽつんと1人で座っていた。

「美々子は？」

「えっ？」

「今、誰かと話していただろ？」

山下の質問の意味がわからないように、由美はきょとんとしている。

部屋の中に危惧《きぐ》した惨状はなかった。

今のは、自分の幻聴だったのか？

由美は、明るい表情で、林檎《りんご》を剝《む》いている。

時計は、すでに、明日になっていた。

「よかった」

山下は思わずつぶやいた。

「約束通り、今日、海へ……」

由美を抱き締めながらそう言いかけた時、山下の言葉が詰まった。

次の言葉が出て来ない。

一瞬、何が起きたのかわからなかった。

山下が自分の脇腹に目をやると、果物ナイフが刺さっていた。

その柄をしっかりと握りながら、由美はやさしく、微笑んでいる。

「由美……」

山下は、小さく呻《うめ》きながら床に膝《ひざ》をついた。

苦痛に歪《ゆが》んだ山下の視界に姿見に映った自分が見えた。

——鏡の中で山下が抱き締めているのは、美々子だった。

しかし、今、自分の腕の中にいるのは確かに由美だ。

山下は、目の前の由美と鏡の中の美々子を、ぼんやりと見比べていた。

やがて、山下の目にはそれすら見えなくなり、意識が遠退いて行った。

10th August

色褪《いろあ》せた天井を見上げていた。

いくつもの蛍光灯が、流れ星のように過ぎて行く。

山下は自分がストレッチャーに乗せられて、長い廊下を運ばれていることに気づいた。

建物は朽ち果て、黴《かび》と埃《ほこり》が充満している。

この病院は……旧加賀見病院だ。

ちょっと、待ってくれ。

ここは、すでに廃墟《はいきよ》のはずだ。

どこかで、〝死の予告電話〟の着メロが鳴り響いた。

このストレッチャーを押している誰かが、その携帯を取った。

山下が顔を上げると、白衣を着た由美が携帯で楽しそうに話していた。

絶望して、顔を元に戻すと、ストレッチャーの山下の隣で長い髪の美々子が果物ナイフを振り上げていた。

目が覚めた。

あれから、何時間、眠っていたのだろう。

いや、何日間か。

掌《てのひら》で頬を触ると、不精髭《ぶしょうひげ》が生えていた。

山下は、痛む脇腹を押さえながら、上半身を起こした。

窓のカーテンが風にめくれ上がるたびに、強い陽射しがこぼれる。

そこは、清潔な病院の個室だった。

背を向けたまま、髭剃《ひげそ》り用の石鹸《せっけん》を泡立てている女がいた。

「あの……」

腹に力が入らない山下が弱々しく呼び掛けると、女がゆっくりと振り返った。

──由美だった。

意識を取り戻した山下を見て、由美は嬉《うれ》しそうに微笑みながら、ベッドに近づく。

この世の人間とは思えないくらい美しかった。

「……由美」

何かを言おうとする山下の唇を塞《ふさ》ぐように、ベッドサイドの由美が屈《かが》んでやさしく唇を重ねた。

山下は、唇に異物が口移しされるのがわかった。

それは、この世のどんなご褒美よりも甘美な味がした。

——赤い飴玉。

山下は、その赤い飴玉を頬張りながら、由美に微笑みかけた。

由美が後ろ手に隠し持っている剃刀《かみそり》に気づきながら——。

どこかで、また、あの着メロが鳴っているのが聞こえた。

本作品はフィクションであり、文中に登場する人物、団体名などは実在するものと一切関係がありません。
また、風景や建造物など、現実と異なっている点がありますことをご了承下さい。

著者

着信《ちゃくしん》アリ
秋元《あきもと》 康《やすし》

角川ホラー文庫　H101-1　13144

平成15年11月10日　初版発行
平成16年1月20日　6版発行

発行者―――田口惠司
発行所―――株式会社角川書店
東京都千代田区富士見2-13-3
電話/編集(03)3238-8555
営業(03)3238-8521
〒102-8177 振替00130-9-195208
印刷所―――旭印刷　製本所―――本間製本
装幀者―――田島照久

定価はカバーに明記してあります。

ISBN4-04-174514-4 C0193

角川文庫発刊に際して

角川源義

第二次世界大戦の敗北は、軍事力の敗北であった以上に、私たちの若い文化力の敗退であった。私たちの文化が戦争に対して如何に無力であり、単なるあだ花に過ぎなかったかを、私たちは身を以て体験し痛感した。西洋近代文化の摂取にとって、明治以後八十年の歳月は決して短かすぎたとは言えない。にもかかわらず、近代文化の伝統を確立し、自由な批判と柔軟な良識に富む文化層として自らを形成することに私たちは失敗して来た。そしてこれは、各層への文化の普及滲透を任務とする出版人の責任でもあった。

一九四五年以来、私たちは再び振出しに戻り、第一歩から踏み出すことを余儀なくされた。これは大きな不幸ではあるが、反面、これまでの混沌・未熟・歪曲の中にあった我が国の文化に秩序と確たる基礎を齎らすためには絶好の機会でもある。角川書店は、このような祖国の文化的危機にあたり、微力をも顧みず再建の礎石たるべき抱負と決意とをもって出発したが、ここに創立以来の念願を果すべく角川文庫を発刊する。これまで刊行されたあらゆる全集叢書文庫類の長所と短所とを検討し、古今東西の不朽の典籍を、良心的編集のもとに、廉価に、そして書架にふさわしい美本として、多くのひとびとに提供しようとする。しかし私たちは徒らに百科全書的な知識のジレッタントを作ることを目的とせず、あくまで祖国の文化に秩序と再建への道を示し、この文庫を角川書店の栄ある事業として、今後永久に継続発展せしめ、学芸と教養との殿堂として大成せんことを期したい。多くの読書子の愛情ある忠言と支持とによって、この希望と抱負とを完遂せしめられんことを願う。

一九四九年五月三日

第10回日本ホラー小説大賞 長編賞受賞作

相続人

保科昌彦

なぜ、私ではなく、お前が——。
哀切に満ちたホラーミステリー！

スポーツ紙の記者、牧野文哉は母校・東学大アメフト部の試合取材中に美しい女性記者、北川沙織に出会い、強く心惹かれる。しかしその夜、アメフト部のメンバーが謎の事故死を遂げ、その背後に沙織の影が——。人間の罪と罰を問う、ホラーミステリーの傑作！

角川ホラー文庫　ISBN4-04-372801-8